Roger Schawinski

Hallo Boomer,
so geniesst du deine

Bonus-Jahre

Verlag Radio 1

Für Gabriella, die mich seit mehr als 30 Jahren zu einem besseren Menschen gemacht hat.

Impressum

3. Auflage, Februar 2026

Umschlaggestaltung:	Lea Schawinski / Corinne Lüthi
Gestaltung und Satz:	Corinne Lüthi
Lektorat:	Simon Wernly
Druck und Bindung:	CPI books GmbH, Ulm
Verwendete Schriften:	Source Serif Pro, Trande Gothic, Begaz Regular
Foto des Autors:	Christoph Kaminski
Papier:	Umschlag, 135 g/m², Bilderdruck glänzend, holzfrei; Inhalt, 90 g/m², Werkdruck 1,5-fach FSC Mix

ISBN 978-3-033-11728-0

Inhalt

Einleitung

Die ersten Babyboomer werden nun tatsächlich 80. Und dicht dahinter folgen die vielen Jahrgänge von 70+- und 60+-Jährigen, die sich dieser magischen Grenze mit jedem Tag mehr nähern. Wir, die wir doch so lange Jahre als die glücklichste Generation der Menschheitsgeschichte galten, erreichen also nach und nach eine Schwelle, die bisher als Eintritt ins Greisenalter galt. Aber nicht für uns Boomer! Denn vieles, eigentlich fast alles, präsentiert sich nicht so, wie wir es uns vorgestellt haben. Und das ist gut so. Nun kommen unsere so kostbaren Bonus-Jahre!

In den nächsten Jahren werden Millionen von Boomern diese beeindruckende Altersgrenze überschreiten. Bis 2050 wird sich in Europa die Zahl der 80-Jährigen verdreifachen. Das wird nicht folgenlos bleiben. Denn wir Boomer haben in jeder bisherigen Lebensphase Neuland betreten und damit grundlegende gesellschaftliche und politische Veränderungen bewirkt. Werden wir dies im neuen Lebensjahrzehnt weiterhin tun? Werden wir auch diesen Lebensabschnitt anders gestalten, als es frühere Generationen getan haben? Sehr vieles spricht dafür.

Mit dem Begriff Babyboomer wird in den USA die Gruppe der geburtenstarken Jahrgänge zwischen 1946 und 1964 bezeichnet. In Deutschland benutzt man ihn für die Jahrgänge zwischen 1955 und 1969, weil dort die Geburtszahlen direkt nach Kriegsende noch relativ niedrig waren und erst mit dem Wirtschaftswunder ab Mitte der 50er Jahre stark anstiegen.

Ich habe mich mit 55 Jahren, lange bevor ich den Begriff Longevity erstmals hörte, mit dem Altern auseinandergesetzt. Für mein Buch «Das Ego-Projekt – Lebenslust bis 100» wählte ich bewusst einen provokativen Titel. Die Kernaussage lautete: Bisher mussten wir vor allem für andere vielfältige Aufgaben erledigen, etwa für unsere Kinder und unsere betagten Eltern. Gleichzeitig galt es, sich voll auf den eigenen beruflichen Werdegang zu konzentrieren. Nun aber ist die Zeit gekommen, in der wir uns vor allem einem Ziel widmen sollten: unserem eigenen Wohlbefinden, denn das Wohlbefinden ist die Grundvoraussetzung für ein gesundes, glückliches und langes Leben. – So lautete damals meine These.

Jetzt bin ich 80 Jahre alt und stelle mit Erstaunen fest, dass die letzten 25 Jahre wie im Flug vergangen sind und das «Ego-Projekt» sogar noch drängender geworden ist. Nun müssen wir uns besonders intensiv mit den Herausforderungen beschäftigen, die uns im nächsten Lebensjahrzehnt und darüber hinaus bevorstehen. Wir sollten uns detailliert darüber informieren, wie wir diese bestmöglich bewältigen. Das vorliegende Buch soll dabei unterstützen und inspirieren.

Boomer haben eine völlig andere Lebensgeschichte als frühere Generationen. Die Bilder alter Menschen, die wir in unserem kollektiven Gedächtnis in uns tragen, sind für unsere Generation irreführend. Denn unsere Vorgaben sind besser als bei allen, die uns vorangingen, und dies in mannigfacher Beziehung. Es liegt an uns, diesen Umstand zu verstehen und dann zum eigenen Vorteil zu nutzen. Indem wir unser «Ego-Projekt» mit voller Ernsthaftigkeit und einer gehörigen Portion Disziplin angehen, werden wir die nächsten zehn – vielleicht auch zwanzig Jahre und mehr – besser gestalten, als wir es wohl auch selbst erwartet haben. Wir können das furchterregende Greisenalter noch um viele Jahre hinausschieben, wenn wir unsere nächste Lebensphase mit Entschiedenheit und etwas Glück gestalten. Für die neue Ausgangslage gibt es keine historischen Blaupausen, die auch für uns Gültigkeit haben.

Wir steuern deshalb auf ein völlig unerforschtes Gebiet zu, das wir mit der gleichen Selbstsicherheit betreten sollten, mit der wir schon bisher neue Wege, Ziele und Methoden gewählt haben.

Im Jahr 1990 lag die Lebenserwartung in der Schweiz bei 77,5 Jahren. Bis ins Jahr 2023 hat sie sich bei den Männern auf 82,2 Jahre und bei Frauen gar auf 85,8 Jahre erhöht. Gesamthaft stieg sie also in nur 33 Jahren um erstaunliche 6,7 Jahre – und sie steigt nach wie vor. Die Zahlen für Deutschland zeigen auf etwas tieferem Niveau eine ähnliche Entwicklung mit einer Lebenserwartung von aktuell 81 Jahren. Ende 2024 lebten in Deutschland bereits 17 900 Hundertjährige, das sind bemerkenswerte 24 Prozent mehr als 2011. 84 Prozent von ihnen sind Frauen.

Wir werden also laufend älter, und damit auch später alt. Zu verdanken haben wir dies unserer besseren Lebenshaltung, den Errungenschaften der modernen Medizin und einem laufend weiter ausgebauten Sozialsystem. Doch das ist nur die halbe Wahrheit. Denn man unterscheidet heute in der Wissenschaft zwischen der «Healthspan» – also den Jahren, die man bei guter Gesundheit erlebt – und der «Lifespan», der gesamten Lebenszeit. Nun zeigt das aktuelle «Global

Health Observatory» der WHO, dass die Zeitspanne zwischen diesen beiden Werten weltweit laufend wächst. Zwischen 2000 und 2019 erhöhte sich diese Zeitspanne von 8,5 auf 9,6 Jahre. Das heisst, dass die Zeit der Pflegebedürftigkeit laufend ansteigt. Bei Frauen ist sie sogar noch 2,4 Jahre grösser als bei Männern. Frauen verbringen am Lebensende noch mehr Jahre mit Krankheit und Behinderung als Männer.

Es geht nicht vor allem darum, die eigene Lebenszeit zu verlängern. Viel wichtiger ist es, die Zahl der gesunden Jahre zu erhöhen. Und die glücklichen Jahre zu vermehren! Dafür hat die Gerontologin Kerr Burnight den Begriff «Joyspan» geprägt, gemeint ist die Lebensdauer, die wir wirklich geniessen und dabei Freude erleben. Umgekehrt soll die abschliessende Krankheitsphase möglichst kurz sein. Die persönliche Gesundheit ab 80 hat aber auch eine gesellschaftliche Seite: Wenn eine ständig wachsende Zahl von Menschen immer länger pflegebedürftig ist, führt dies zu massiv steigenden Gesundheitskosten und zu vielen sozialen Verwerfungen. Das gilt es unter allen Umständen zu verhindern. Wir müssen deshalb alles tun, um uns möglichst viele glückliche und gesunde Bonus-Jahre zu erarbeiten!

Als Boomer sollte uns diese Ausgangslage in keiner Weise entmutigen. Aufgrund unserer wachsenden Zahl wird man uns und unsere Bedürfnisse nicht mehr so leicht zur Seite schieben können, wie man es mit der ältesten Altersklasse bisher oft gemacht hat. Wir können und sollen unsere Rechte mit derselben Kraft einfordern, wie wir es in jeder unserer früheren Lebensphase getan haben. Wir müssen uns weiterhin in allen Bereichen einbringen, dies aber nicht nur für unser persönliches Wohlbefinden, sondern auch im Hinblick auf unsere Verantwortung für die Allgemeinheit.

Vielen von uns ist es gelungen, sich ein ansehnliches finanzielles Sicherheitspolster zuzulegen. Deshalb ist heute die Gruppe der Boomer die wohlhabendste überhaupt. Das eröffnet uns zusätzliche Möglichkeiten, die es in optimaler Weise zu nutzen gilt. Der Politgeograf Michael Hermann meint achselzuckend: «Die Babyboomer waren sich ein Leben lang Privilegien gewohnt. Das führen sie jetzt an der Urne fort.» Und mit Urne meint er die Wahl- und Abstimmungsurne.

Seit den späten 1960er Jahren waren wir Boomer die Altersgruppe, die das Leben in unseren Gesellschaften massgeblich verändert hat, und diese dominierende Position haben wir eigentlich nie abgegeben. Der ultimative Beweis: Gleich vier der letzten fünf amerikanischen Präsidenten – der jeweils mächtigsten Menschen des Planeten – waren Boomer: Der erste von ihnen war Bill Clinton mit Jahrgang 1946, der 1992 gewählt und vier Jahre später wiedergewählt wurde. Dann folgte im Jahr 2000 George W. Bush, ebenfalls 1946 geboren. Barack Obama war ein «late boomer», der 2008 und 2012 gewählt wurde. Donald Trump, 1946 geboren, wurde 2016 erstmals und 2024 zum zweiten Mal Präsident. Die einzige Ausnahme war Joe Biden mit Jahrgang 1942 und damit ohne Boomer-Gen, dessen Amtszeit unter argen Misstönen endete.

Wir Boomer haben den umfassendsten technologischen Wandel der Geschichte ermöglicht und erlebt. Als ich Anfang der 70er Jahre meine Dissertation schrieb, musste ich den mehrhundertseitigen Text auf einer mechanischen Schreibmaschine und ohne jede Korrekturfunktion in die Tasten hämmern. Um das notwendige Material für mein Thema – die Folgen des Tourismus in Entwicklungsländern – zu finden, flog ich nach Washington, um in der weltweit besten Bibliothek, der Library of Congress, die besten vorliegenden Grundlageninformationen aufzustöbern. Jahrzehnte später eröffneten uns der Computer, das Internet und insbesondere Suchmaschinen wie Google ganz neue Methoden der Recherche. Und seit kurzem erleichtert uns KI diesen früher so mühsamen Prozess noch weiter. Dies ist mein 13. Buch, und das erste, bei dem mir Chat GPT das Recherchieren – und nur das Recherchieren – massiv erleichterte. Die digitale Welt liefert uns Methoden, mit denen wir uns über alle aktuellen wissenschaftlichen Studien blitzschnell und umfassend informieren können, Dinge, von denen wir bis vor kurzem nicht einmal zu träumen wagten. Diese und unzählige andere wundersamen Verbesserungen geschahen alle im Verlaufe unseres eigenen Lebens.

Also alles paletti? Fast alles. Wir müssen es nur noch richtig hinkriegen. Und dazu benötigen wir Informationen über das optimale Verhalten. Dieses Buch will dazu eine grössere Zahl von Vorschlägen anbieten.

Rock 'n' Roll

Ich erinnere mich lebhaft an die ersten Werbespots im Programm der ARD, dem damals einzigen deutschen Fernsehen. Vor allem der Name einer Firma ist mir in besonderer Erinnerung geblieben: Kukident. Die häufigen Werbespots für dieses seltsame Produkt zur Pflege von herausnehmbaren Zahnprothesen und der eingängige Slogan – «Wer es kennt, nimmt Kukident» – waren von den 50ern bis in die frühen 70er Jahre überpräsent. Es gab damals einen riesigen Markt für ein solches Produkt, das sich an älteres Publikum richtete. Doch weil sich die Zahnhygiene seither laufend verbessert hat, schmolz der Umsatz von Kukident immer weiter weg. Wohl auch deshalb verkaufte die Gründerfamilie das 100 Jahre zuvor gegründete Unternehmen, das heute in seiner deutschen Fabrik nur noch 70 Mitarbeiter für die Herstellung von Zahnersatz-Produkten beschäftigt.

Unsere gesamte Lebenserfahrung ist eben eine weitgehend andere als bei unseren Vorgängern. Und dies beginnt schon ganz früh. Wir sind die erste Generation, die das Trauma der Kriegsangst nicht in uns tragen, die damals selbst Kleinkinder erreichte. Dies gilt natürlich insbesondere für Menschen in den vom Krieg verwüsteten Ländern Europas. Aber selbst in der verschonten Schweiz ging die permanente Angst vor dem drohenden Unheil um. Das heisst: Wir waren alle von allem Anfang an privilegiert. Ohne die bewusste oder subkutane Erinnerung an existenzielle Bedrohungen war der Start in unsere Leben viel weniger belastet. Die Traumata früherer Generationen blieben uns erspart. Und das beflügelt uns bis heute.

Uns boten sich auch völlig neue, unbekannte Erfahrungen. Ich erinnere mich, wie wir 11-jährige Knirpse in einem Ferienlager jeden Morgen in maximaler Lautstärke mit demselben Song geweckt wurden: «Rock around the Clock» von Bill Haley war der erste erfolgreiche Rock-'n'-Roll-Titel überhaupt, der uns eine Welt eröffnete, die unsere Leben bis heute prägen sollte. Dann kamen Elvis, die Beatles und die Rolling Stones, die uns definitiv zur Rock-'n'-Roll-Generation machten. Wir lernten leichthin zu dieser ekstatischen Musik zu tanzen, was Leute, die nur wenige Jahre älter sind als wir, nie schaffen sollten.

Die Musik erhielt bald noch grössere Bedeutung. Die Protestsongs von Joan Baez, Bob Dylan und Pete Seeger erlangten nicht nur in Amerika grösste politische Bedeutung, sondern wurden auch in unseren Breitengraden zum Soundtrack der von uns getragenen 68er Bewegung. Mit dieser stellten wir alle gesellschaftlichen Strukturen in Frage. Es waren begabte, engagierte junge Leute, die die grossartige Musik der 60er, 70er und 80er Jahre schufen, die bis heute immer noch auf ganz vielen Kanälen gespielt wird und von allen Generationen heiss geliebt wird.

Und so ging es weiter. Im April 1970 in New York geriet ich rein zufälligerweise in ein epochales Ereignis. Am 22. April wurde dort der erste «Earth Day» zelebriert, für den sogar die Fifth Avenue gesperrt wurde und sich anschliessend gegen 100 000 Menschen im Central Park zu einer Kundgebung versammelten. Dies beeindruckte mich ungemein, so dass ich als Jungjournalist nach einem deutschen Ausdruck für diese Bewegung suchte, ohne gleich auf die deutsche Entsprechung «Umweltschutz» zu stossen. Und tatsächlich wurde das von unserer Generation geforderte ökologische Umdenken erst in den 70er Jahren zu einem festen Begriff. Greenpeace, Amnesty International und sehr viele andere finanziell grosszügig alimentierte NGOs wurden in jenen Jahren gegründet. Der Kampf gegen das Waldsterben war eines der ersten grossen Projekte, später rückte das immer drängendere Thema «global warming» ins Zentrum.

Zudem haben wir die Sexualität neu definiert. Neben dem – zumindest theoretisch – befreienden Prinzip der freien Liebe, wurde nicht nur die Homosexualität entkriminalisiert. Irgendwann wurden auch die Ehe für alle und der Schwangerschaftsabbruch legalisiert. Zudem haben wir die rechtliche Stellung der Frau in der Gesellschaft laufend verbessert, dies sogar in der in vielen Bereichen verlangsamten Schweiz, wo alle Frauen im Jahr 1971 endlich das volle politische Wahl- und Stimmrecht erhalten haben.

Die von uns ausgelösten Veränderungen erreichten bald alle Bereiche. Als ich in den 70er Jahren als sehr junger Chefredaktor der Schweizer Tageszeitung «Tat» erstmals in einem Grosskonzern in eine Führungsposition gelangte, musste ich jeden Montag um 10 Uhr an der grossen Sitzung aller Divisionsleiter teilnehmen, die von Pierre Arnold, dem charismatischen Superchef der Migros, geleitet wurde. Weil ich jeweils als Einziger ohne Krawatte am riesigen Besprechungstisch Platz nahm, begrüsste er mich immer mit demselben Satz «Schawinski, sind Sie in den Ferien?» Trotzdem ignorierte ich die damals vorgeschriebene Kleiderordnung, weil sie nicht mehr dem Geist meiner Generation entsprach, wie ich empfand. In den Folgejahren setzten sich unsere Vorstellungen für ein äusserlich viel lockeres Auftreten durch, und dies bis in die allerhöchsten Gesellschaftsschichten. So wurden offene Hemdkragen neben Rock 'n' Roll und Jeans zu Symbolen unserer Zeit. Und zudem sind wir auch im gesellschaftlichen Umgang viel entspannter, indem wir das steife Sie durch ein beinahe flächendeckendes Du ersetzt haben.

In den Folgejahren rutschten viele in wichtige Positionen in Staat, Wirtschaft, Wissenschaft und Kultur – und dies mit Auswirkungen bis heute. Wir waren es, die für den historisch einmaligen ökonomischen Aufschwung in vielen Ländern sorgten. So lag die weltweite Armut gemäss Definition der Weltbank im Jahr 1980 bei über 40 Prozent und sank im Laufe der folgenden Jahrzehnte auf 9 Prozent im Jahr 2019. Diese gewaltige und einmalige Entwicklung wurde vor allem von Menschen unserer Generation ermöglicht.

Wir leben also besser und wir leben länger. Haben wir also alles richtig gemacht? Natürlich nicht. Vielmals haben wir Missstände nur zögerlich bekämpft, und dies nicht allein in der Klimafrage, wie es uns die jüngere Generation heute vorwirft. Dabei sind die Fortschritte in Richtung erneuerbare Energien beachtlich, die wir in Gang gesetzt haben, auch wenn es immer wieder schmerzhafte Rückschläge gibt, wie zurzeit in Donald Trumps Amerika.

Sollten wir uns deshalb schuldig fühlen, weil wir den Jungen keine makellose Welt übergeben werden, und sie uns deshalb harsch kritisieren? Ich glaube, das sollten wir nicht. Wir dürfen dies vielmehr als Anregung verstehen, unser eigenes Verhalten kritisch zu hinterfragen. Ins Bockshorn jagen lassen wir uns deswegen aber nicht. Es ist eben die Aufgabe und das Privileg jeder jungen Generation, ihre Vorfahren in Frage zu stellen. Wir haben dies damals in besonders ausgeprägter Weise getan und wissen, wie notwendig und fruchtbar das gewesen ist. Und wir können zudem darauf hinweisen, dass die Zeit, um uns definitiv von allem zu verabschieden, noch längst nicht gekommen ist. Darauf sollten wir bewusst und konzentriert hinarbeiten.

Das Alter ist nichts für Feiglinge.

Der Begriff «alt» ist erstens unpräzise. Und zweitens ist er zu einem Schimpfwort verkommen. Deshalb sollte er meist möglichst elegant umschifft werden. Beliebt sind heute englische Marketingbegriffe wie «golden ager», «silver ager» oder «best ager». Doch diese strahlen allesamt wenig Glaubwürdigkeit aus, weil sie einem für alle sichtbaren Probleme dicke verbale Schminke aufzusetzen versuchen. Trotz sichtbaren Mängeln soll mit diesen euphemistischen Bezeichnungen etwas aufgewertet werden, das beim genauen Hinschauen nicht mehr ganz so attraktiv ist. In Wahrheit suggeriert dies im Subtext: Früher war alles besser.

Der lakonischste und meistzitierte Spruch über das Alter stammt von der amerikanischen Schauspielerin Mae West, die sagte: «Old age ain't no place for sissies» – zu Deutsch: Das Alter ist nichts für Feiglinge. In der Folge wurde er vielfach aufgenommen, etwa von Bette Davis, Joachim «Blacky» Fuchsberger, Hildegard Knef und natürlich von Harald Schmidt, der sich selbst mit Bestimmtheit niemals in dieser Kategorie sehen wird. In der Essenz sagt dieser Satz aus: Nur die ganz Harten werden im Alter nicht automatisch verkümmern, weil es für alle eine Zeit der gewaltigen Herausforderungen werden wird. Also: Bitte ganz fest anschnallen!

George Bernard Shaw beschrieb das Elend des Altwerdens in einem einzigen Satz. «Youth is wasted on the young.» Die Jugend, die grossartigste Zeit des Lebens, wird von den Jungen auf sinnlose Weise verschwendet, ohne dass sie sich dieses Privilegs bewusst sind. Erst wenn es zu spät ist, wird ihnen klar, wie achtlos sie mit der besten Zeit ihres Daseins verfahren haben, meint Shaw. Und dieser verhängnisvolle Ablauf erfolge viel rasanter, als man es sich wünschen würde.

Der Schweizer Schriftsteller Max Frisch sah sich schon mit Ende 50 als alten Mann, der sich mit Übergewicht und Erektionsstörungen herumschlagen musste, wie er schriftlich festhielt. Periodisch bekämpfte er diese Kümmernisse mit Aufenthalten in Abnehmkliniken und mittels Affären mit jungen Frauen, die ihm als literarische Vorlagen dienten und ihm zu Welterfolgen wie «Montauk» verhalfen. In seinen späten Tagebüchern schrieb Frisch: «Ich werde ein Greis. Man wird ein Greis, wenn man sich zu nichts mehr verpflichtet fühlt ...» Auch Bertold Brecht, der im Alter von 58 Jahren starb, sah sich schon sehr früh als «alten Mann». Schon einen Tag nach seinem 42. Geburtstag notierte er in sein Tagebuch, dass er sich nun alt fühle. Und Simone de Beauvoir bestand im Alter von 62 Jahren darauf, dass sie «die Erlaubnis habe, vom Leben erschöpft zu sein.» Shakespeare lässt in seinem Stück «Wie es Euch gefällt» das Leben in sieben Akten erklären. Dort heisst es über das Alter: «Die letzte Szene von allem, die diese seltsame, ereignisreiche Geschichte beschliesst, ist ein zweites Kindsein und reines Vergessen; ohne Zähne, ohne Augen, ohne Geschmack – ohne alles.» Furchtbar!

Die Grausamkeit des Alters finden wir vor allem in Schilderungen, die uns Menschen aus früheren Generationen hinterlassen haben. In «Jedermann» («Everyman»), Philip Roths letztem und zugleich persönlichstem Werk, klagt der Erzähler: «Das Alter ist ein Massaker», und die Leserschaft versteht, dass sich dieses Verdikt auch auf Roths eigene Befindlichkeit mit 74 Jahren bezieht. Roth bezeichnet das Altern in diesem Buch als unvermeidlichen und zunehmend schmerzhaften Prozess des körperlichen Verfalls und der Selbstentfremdung. «Das Alter ist eine Krankheit, die immer schlimmer wird, je länger man lebt.»

Er, der ein Leben lang von einer Affäre zur nächsten hechelte, beschreibt auch bildhaft den Schmerz, den er empfindet, weil er am Strand von Venice Beach in Los Angeles von jungen Frauen nicht mehr gesehen wird. Er ist für die jungen Frauen faktisch unsichtbar geworden. Ihm widerfährt, was viele Frauen bereits in früheren Phasen erleben.

Bei Samuel Beckett («Endspiel») finden sich ähnliche Bilder, ebenso bei Leo Tolstoi («Der Tod des Iwan Iljitsch»). Besonders brutal formuliert es Thomas Bernhard in «Alte Meister»: «Altwerden ist ein einziger, langer, stinkender und abstossender Prozess.» Woody Allen antwortete, als man ihm zum Thema Tod befragte: «Ich habe keine Angst vor dem Tod, ich möchte nur nicht dabei sein, wenn es passiert.» Und beinahe versöhnlich fügte er folgende Erkenntnis hinzu: «Das Altern ist das einzige Mittel, das wir haben, um lange zu leben.»

Die erwähnten Persönlichkeiten sind keine Boomer, wie wir es sind. Für sie hatte das Alter kaum positive Aspekte, es war vielmehr ein unaufhaltsames Herunterschlittern in die eigene, immer hoffnungslosere Misere.

Elke Heidenreich hat in «Altern» – dem erfolgreichsten deutschsprachigen Buch des Jahres 2024, es steht noch immer auf der «Spiegel»-Bestseller-Liste – in liebevoller und offener Weise nicht nur über ihre eigene Befindlichkeit als 80-Jährige erzählt, sondern auch eine grosse Zahl von Zitaten zu diesem Thema aufgestöbert. Darunter hat sie tatsächlich einige gefunden, die das Alter wenigstens teilweise mit positiven Attributen versehen haben, was wohl eines der Erfolgsrezepte ihres Mutmacherbuches ist.

Noch vor 30 Jahren hatten 80-Jährige ein grösseres Risiko für Gebrechlichkeit und waren zum Teil schon pflegebedürftig. Heute sind viele 80-Jährige sportlich aktiv, auch dank medizinischen Hilfen wie Knie- und Hüft-OPs. Vor 30 Jahren wurde Demenz erst in einem späten Stadium erkannt und es gab kaum ein Bewusstsein für kognitive Prävention. Studien zeigen, dass die geistige Leistungsfähigkeit in diesem Alter durch höhere Bildung und bessere Herz-Kreislauf-Therapien vielfach erhalten geblieben ist. Im Durchschnitt ist heute ein 80-Jähriger also viel gesünder, selbstständiger und geistig aktiver als ein 80-Jähriger vor 30 Jahren, wobei die Unterschiede zwischen Arm und Reich weiterhin gross sind. Für viele ist 80 deshalb nicht zu Unrecht das neue 70 (oder gar

60). Die früheren Vorstellungen über Leben und Sterben gelten für uns je länger desto weniger, auch wenn wir uns dies mit Blick auf unsere eigenen Familienerfahrungen oft nicht so richtig bewusst sind. Das sollten wir schleunigst ändern! Denn jetzt geht es um ein gewaltiges Privileg, das wir geniessen können: Unsere Bonus-Jahre.

Wie aber ist dieser gewaltige Wandel erklärbar? Spielt auch die Veränderung des Erbguts eine Rolle? Die moderne Forschung belegt, dass dies nur in marginalem Ausmass der Fall ist. Unsere grundlegende Genstruktur ist stabil, obwohl es durch Mutationen laufend kleine Veränderungen geben kann. Die Bedeutung der Gene wird generell oft überschätzt. Eine der grössten Studien mit eineiigen Zwillingen, die genetisch identisch sind, zeigte, dass nur etwa 20 bis 30 Prozent der Variation in der Lebensdauer durch Gene erklärt werden kann. Das bedeutet, der Grossteil – also rund 70 bis 80 Prozent – hängt von Umweltfaktoren und vom eigenen Lebensstil ab. Dieses Verhältnis verschiebt sich im Laufe des Lebens mehrfach. In Kindheit und Jugend ist die Wirkungsweise der Gene oft dominant, weil sich der Körper noch entwickelt und viele grundlegende Prozesse genetisch gesteuert werden. Im Erwachsenenalter ist dann der Lebensstil der entscheidende Faktor. Erst im höheren Alter können genetische Faktoren wieder stärker werden, weil manche Menschen durch ihre spezifischen Gene gegenüber altersbedingten Krankheiten widerstandsfähiger sind als andere. Dies belegen die Resultate des von Dr. Nir Barzilai durchgeführten «Longevity Genes Project». Seine zentrale Botschaft lautet: Genetische Faktoren spielen eine entscheidende Rolle für ein langes, gesundes Leben. Durch das Verständnis dieser Gene kann langfristig die Entwicklung neuartiger Therapien zur Verzögerung oder zur Prävention altersbedingter Krankheiten vorangetrieben werden. Barzilai und sein Team haben bei Menschen mit aussergewöhnlich langer Lebensdauer bestimmte Genvariationen identifiziert, die offenbar vor altersbedingten Krankheiten wie Herz-Kreislauf-Leiden, Krebs, Diabetes und Demenz schützen können. Solche genetischen Mechanismen liefern Ansatzpunkte für Arzneimittel, die in Zukunft diese Schutzwirkungen nachahmen oder auslösen können. Aber so weit sind wir noch nicht. Dr. Eric Topol, Autor von «Super Agers» erklärte jedoch in einem kürzlichen Interview in der «NZZ am Sonntag», dass im Alter das Immunsystem die entscheidende Rolle spiele. Und dieses Immunsystem werde vor allem durch Umweltfaktoren beeinflusst, und dies in weit grösserem Ausmass als durch die Gene. Und anders als bei den Genen sind Umweltfaktoren von uns allen leichter steuerbar. Darauf gilt es zu achten.

Auf die Gene hat man bisher also kaum direkten Einfluss. Die hat man mit der Erbmasse mitbekommen, ob es einem passt oder nicht. Der Lebensstil ist der «game changer» – und dies auch im fortgeschrittenen Alter. Und deshalb müssen wir uns allein darauf konzentrieren. Nein, das Alter ist nicht ein Problem für Feiglinge, wie man früher salopp absonderte, sondern für Menschen, die nicht die richtigen und wichtigen Entscheidungen fällen. Es kommt eben allein auf uns und unser Verhalten an.

Longevity

Der Modebegriff Longevity – für den sich die deutsche Entsprechung «Langlebigkeit» bisher nicht etablieren konnte – verbreitet sich mit rasender Geschwindigkeit. Es ist gemäss Wikipedia der «Dachbegriff für die Bezeichnung von Forschungsaktivitäten und Massnahmen, die darauf abzielen, das Leben zu verlängern und die Gesundheit im Alter zu erhalten».

Bereits seit der Antike suchen Menschen nach Mitteln für ein längeres Leben. In China, Indien und in Griechenland versuchte man es mit Kräutern, Diäten oder mit Meditation. Im 20. Jahrhundert wurde die Altersforschung dank der Entdeckung der Genetik und der Biochemie wissenschaftlich betrieben. Seit den 1960er Jahren wurde der Begriff «Longevity» zunehmend in der Gerontologie und Biogerontologie verwendet. Und seit dem Jahr 2000 wird er von einer grossen Zahl von neu gegründeten Biotech-Firmen propagiert, die laufend neue Strategien zur Lebensverlängerung austüfteln.

Im Jahr 2023 landete Dr. Peter Attia mit seinem Buch «Outlive» einen Volltreffer. Er kletterte damit nicht nur auf Platz 1 der Bestsellerliste der

«New York Times», sondern hatte innert Jahresfrist weltweit über eine Million Bücher verkauft. Seine Hauptthese lautet: Langes Leben hängt weniger vom Kampf gegen das Altern ab. Es geht vor allem darum, die vier wichtigsten Todesursachen zu verhindern oder hinauszuzögern: Herz-Kreislauf-Erkrankungen – die Haupttodesursache –, Krebs, Stoffwechselkrankheiten wie etwa Diabetes und neurodegenerativen Erkrankungen wie Alzheimer und Parkinson. Der Ansatz von Attia: Man soll nicht warten, bis diese Krankheiten auftreten, wie es heute meist geschieht, sondern präventiv handeln, also bevor sie entstehen. Dies erreicht man durch viel Bewegung und Krafttraining, dank Schlaf- und Stressmanagement, mittels gezielter Vorsorgeuntersuchungen und mit mentaler Gesundheit, die dem Leben Sinn verleiht. Dies alles klingt weder besonders überraschend noch revolutionär. Denn auch Attia kann keine Wunderprozesse oder Abkürzungen zur Förderung eines langen, gesunden Lebens anbieten. Dies belegen auch die prägnantesten Zitate aus seinem Buch, wie etwa dieses: «Sport ist unsere mächtigste Waffe im Kampf gegen dieses Elend … Er verlangsamt den Verfall, nicht nur den physischen, sondern auch den kognitiven und seelischen».

Sein ultimativer Ratschlag: «Trainiere für die letzten zehn Jahre deines Lebens.»

Attia zitiert eine Jama-Studie wie folgt: «Kardiorespiratorische Fitness (also der Zustand der Herz-Lungen-Funktion) korreliert negativ mit der Langzeitmortalität, ohne dass eine Obergrenze des positiven Einflusses beobachtet wurde. Eine maximale aerobe Fitness ist mit den grössten Überlebensarten assoziiert.»

Immer mehr Menschen sind heute bereit, viel Geld für Longevity-Angebote auszugeben, um so einen frühen Tod zu verhindern. Es handelt sich deshalb um einen rasant wachsenden Markt, in dem im Jahr 2030 gemäss Schätzungen hunderte Milliarden Dollar umgesetzt werden. Zurzeit schiessen hochklassige und teure Longevity-Kliniken wie Pilze aus dem Boden. Nach aktuellen Angaben gibt es in den USA bereits mehr als 800 von ihnen, darunter die renommierte Mayo Klinik. In Deutschland hat es zurzeit mindestens ein Dutzend Longevity- und Wohlfühlkliniken. Die bekanntesten sind der Lanserhof und die Klinik Chiemgau, in der Schweiz ist es die Clinique La Prairie in Clarens bei Montreux am Genfersee. Die Zürcher Longevity-Klinik Ayun, die sich als «schweizweit erste Longevity Walk-in-Clinic» bezeichnet, hat eine Vielzahl von exotisch klingenden Programmen im Angebot. Diese beinhalten umfassende Datenerhebungen «von der Blutzuckermessung bis zu genetischen Tests, die beeinflussbare Risiken aufdecken». Die als «Supreme-Check-Up» angepriesenen fünfstündigen Tests kosten dort 7'500 Schweizer Franken. Dies ist zurzeit der wichtigste Geschäftszweig von Ayun, wo mehrere Methoden wie Kälteschocks und Sauerstoffanreicherung angeboten werden, wie sie auch von Spitzensportlern genutzt werden und deren lebensverlängernden Wirkungen nicht geklärt sind. Das heisst: Selbst wo Longevity draufsteht, ist Longevity nicht unbedingt drin.

In einigen dieser Kliniken mit Wochentarifen von bis zu 50 000 Dollar finden nach Eintritt verschiedenste hochtechnische Untersuchungen statt, etwa mittels Computertomografie, Ganzkörper-MRI und mit Dexa zur Messung der Knochendichte. Hinzu kommen oft Blutmessungen, Kognitivtests und die Erfassung der Genomsequenz. So will man nicht nur den aktuellen Gesundheitszustand überprüfen, sondern zusätzlich Informationen über die zukünftigen Risiken erhalten. Vor allem amerikanische Milliardäre wie Jeff Bezos und Peter Thiel streben nach dem ewigen Leben.

Venki Ramakrishnan formulierte es in seinem Buch «Why We Die» treffenderweise so: «Als sie jung waren, wollten sie reich werden. Und jetzt, da sie reich sind, möchten sie jung sein.»

Neben traditionellen Lifestyle-Strategien in Bezug auf Ernährung, Bewegung und Schlaf stehen Anti-Aging-Technologien und Biohacking im Angebot. Biohacking ist ein Sammelbegriff für Methoden und Praktiken, mit denen Menschen aktiv in ihre eigene Biologie eingreifen, um Gesundheit, Leistungsfähigkeit oder sogar die Lebensdauer zu optimieren.

Da gibt es einmal die Methode, mit der man junges, 16- bis 25-jähriges Blut in Form von Blutplasma einführt, das man in den USA für bis zu 8000 Dollar pro Liter kaufen kann. Bei der Blutwäsche (Plasmapherese) wird Blutplasma entnommen, das schnellstmöglich tiefgefroren wird. Die Blutzellen werden anschliessend in den Körper zurückgeführt. Doch gemäss allen relevanten Studien sind die lebensverlängernden Wirkungen von Blutreinigungen nicht nachgewiesen. Zudem bestehen erhebliche gesundheitliche Gefahren bei ihrer Anwendung. Auch keine Beweise für die Longevity-Wirksamkeit gibt es für andere beliebte Methoden, wie die starke Beschränkung der Kalorienzufuhr oder das grossflächig promotete Intervallfasten. Zwar zeigen Studien, dass man Mäusen mit dieser Methode ein längeres Leben verschafft, aber bei Menschen können Forscher diese Effekte nicht schlüssig nachweisen. Man erreicht damit bestenfalls eine Stärkung des Immunsystems, was allerdings kein zu unterschätzender Effekt ist. Auch für viele der gehypten Nahrungsmittelergänzungen liegen keine belastbaren wissenschaftlichen Daten vor, die auf ihre lebensverlängernden Wirkungen hinweisen.

Im Zentrum steht weiterhin die atemlose Suche nach dem Wundermittel, einem Elixier, das eine ewige Jugend ermöglicht. Zu diesem Zweck werden verschiedenste Produkte getestet, mit denen man einen Durchbruch erringen möchte. Am häufigsten genannt ist ein Mittel mit dem Namen Rapamycin, das aber selbst nach vielen Jahren noch immer im Forschungsstadium steckt. Bei Mäusen im mittleren Alter hat Rapamycin hervorragende Resultate erzielt, bei denen eine dreimonatige hochdosierte Behandlung die Lebenserwartung um 60 Prozent erhöht haben soll. Versuche an Menschen waren weniger erfolgreich. So hat sogar Bryan Johnson, der amerikanische Techunternehmer, der mit seinem extremen Anti-Aging-Programm internationale Bekanntheit erreicht hat (60 Pillen am Tag!), Rapamycin abgesetzt, als er sich in der Versuchsphase mehrere Infektionen zuzog. Ein anderes Mittel, Metformin, wird seit Jahrzehnten gegen Diabetes Typ 2 verabreicht. Dabei zeigte sich in mehreren Studien – auch in solchen von Dr. Barzilai –, dass die damit behandelten Patienten länger lebten als die jeweilige Kontrollgruppe. Allerdings wurde festgestellt, dass bei der Einnahme dieses Mittels die Muskelmasse abnimmt, was vor allem bei älteren Patienten eine unerwünschte Nebenwirkung ist. Zudem ist bisher nicht gesichert, ob auch Personen ohne Diabetes oder Übergewicht in Bezug auf ihre Lebenslänge von Metformin profitieren können.

Auch die boomenden Abnehmspritzen wie Ozempic und Vegovy werden vielfach im Zusammenhang mit Longevity genannt. Aber wirken sie tatsächlich auch in diesem Bereich? Dazu fehlen Langzeitstudien, weil die Wirkung auf die Lebensdauer noch nicht vollständig geklärt werden konnte. Dafür liegen Daten vor, dass sie gegen mehrere Krankheiten wie Herzinfarkte und Nierenprobleme wirken. Zurzeit ist noch sehr vieles im Fluss. Die Kernaussage der eminenten Forscher Leroy

Hood und Nathan Price in ihrem Buch «The Age of Scientific Wellness» aus dem Jahr 2019 lautet: Wir stehen an der Schwelle zu einer neuen Ära der Medizin, in der Gesundheit wissenschaftlich messbar, steuerbar und optimierbar wird. Statt Krankheiten erst zu behandeln, wenn sie ausbrechen, können wir durch Big Data, Genomik und Systembiologie sehr vieles vorhersagen, vorbeugen und personalisieren. Und Dr. Eric Topol, Autor des Bestsellers «Super Agers», kommt nach einer ausführlichen Analyse der aktuellen Forschung zu folgender Schlussfolgerung: «Es gibt noch keine Beweise, dass man den menschlichen Alterungsprozess auf sichere und effektive Weise verlangsamen kann. Wir sollten, bis zum Beweis des Gegenteils, davon ausgehen, dass die Verlängerung der gesunden Lebenszeit oder die Verlangsamung des Alterungsprozesses die Morbidität eher verschiebt als sie verhindert.» Und weiter: «Ich habe das Gefühl, dass es für jedes neue Medikament und jede neue Anwendung schwierig sein wird, eine ähnlich wichtige Bedeutung zu erlangen, wie es ein gesunder Lebensstil tut. Das heisst aber nicht, dass wir die Vorteile der Kombination dieser beiden Ansätze nicht nutzen sollten.»

Beim Lebensalter wird zwischen dem chronologischen und dem biologischen Alter unterschieden. Das chronologische Alter entspricht dem tatsächlichen Alter. Das biologische Alter berücksichtigt hingegen den funktionellen und physiologischen Zustand des Körpers, unabhängig vom chronologischen Alter.

Das biologische Alter wird heute mit mehreren Methoden eruiert. Man verwendet eine Reihe von Messungen, etwa des Blutdrucks, der Lungenfunktion und der Knochendichte oder der Gehgeschwindigkeit und der Griffkraft. Auch kognitive Leistungen werden bestimmt. Hinzu kommt das Ablesen von sogenannten epigenetischen Markern, das heisst chemischen Veränderungen der DNA. Je nach Testresultat, das etwa in einem Longevity-Institut festgehalten wird, ist eine Person biologisch jünger oder älter, als es dem chronologischen Alter entspricht. Das Ziel ist es, das biologische Alter durch richtiges Verhalten möglichst tief zu halten. Zudem suchen Forscher, die den Alterungsprozess analysieren, zurzeit fieberhaft nach Methoden, mit denen das einmal eruierte biologische Alter reduziert werden kann. Bisher sind die dazu publizierten Resultate aber kaum überwältigend.

Das alles belegt, dass medizinische Produkte zur Lebensverlängerung grosse Hürden zu überwinden haben, bevor sie für breite Bevölkerungskreise zum Einsatz kommen können. Für uns alle werden sie in absehbarer Zeit keine sinnvolle Lösung sein.

Gemäss Experten ist es deshalb besser, sich weitgehend auf die altbekannten Methoden zu stützen: auf eine gute Diät mit Vollkornprodukten, Früchten, Gemüse, leichtem Protein und weiteren unverarbeiteten Nahrungsmittels. Zusätzlich helfen viel Bewegung, wenig Umweltbelastung und eine möglichst positive Lebenseinstellung.

Heike Bischoff-Ferrari hat vor kurzem den Auftrag erhalten, an der Universität Basel einen «Schweizer Campus für gesunde Langlebigkeit» aufzubauen. Sie meint: «In Sachen Behandlungen zur Verlängerung der gesunden Langlebigkeit befinden wir uns aktuell im Wilden Westen. Jeder kann heute alles versprechen und bewerben – egal ob sinnvoll, wirksam oder gar gefährlich.»

Das heisst, dass uns der kommerzielle Longevity-Boom mit seinen teuren und komplizierten Angeboten bisher nur wenig anzubieten hat. Menschen unserer Generation, die sich ein möglichst langes und glückliches Leben wünschen, müssen ihr Ziel ohne den Firlefanz dieser Branche erreichen. Diese Botschaft sollten wir ohne Wehmut zur Kenntnis nehmen.

Und damit sind wir wieder auf Feld 1. Longevity mit all seinen wundersamen Versprechungen steckt noch weitgehend in den Kinderschuhen. Im Zentrum verbleiben die traditionellen Rezepte für langes Leben und andauerndes Wohlbefinden. Wahrscheinlich wird uns die Wissenschaft mit Hilfe von KI schon bald einige revolutionäre, lebensverlängernde Erkenntnisse liefern können. Dank KI wird man etwa die individuellen gesundheitlichen Risiken genauer definieren und sinnvolle Methoden zu ihrer Verminderung vorschlagen können. Aber das wird uns und den nachfolgenden Generationen nur zusätzlich zu den bekannten Grundsätzen von Nutzen sein. Die neuen Methoden werden die alten nicht ersetzen. Abkürzungen sind zwar immer verführerisch, vor allem wenn sie mit dem blossen Schlucken einer Pille oder mit einem simplen Piks ermöglicht werden. Aber so leicht geht es eben nicht. Wir selbst müssen den Hauptbeitrag für unsere Longevity leisten, heute und wohl auch in Zukunft.

Super-Ager

Das Thema Langlebigkeit hat viele clevere Leute motiviert, sich intensiv damit zu beschäftigen. So erhielt vor einigen Jahren das Konzept der «Blue Zones» unglaublich viel Publizität, dies vor allem auch durch eine vielbeachtete Netflix-Serie.

Blaue Zonen sind Orte, in denen Menschen um einiges länger als der Durchschnitt leben sollen. Das Konzept wurde vom amerikanischen Journalisten Dan Buettner kreiert, der es im November 2005 erstmals im Magazin «National Geographic» mit der Titelgeschichte «The Secrets of a Long Life» präsentierte. Buettner identifizierte fünf Orte, die er zu «Blauen Zonen» erklärte: die Insel Okinawa in Japan, das Bergdorf Villagrande Strisaili auf Sardinien, die Nicoya-Halbinsel in Costa Rica und eine Siedlung der Siebenten-Tags-Adventisten in Loma, Kalifornien. Buettner kam zu seinen Schlussfolgerungen aufgrund von eigenen Daten und Beobachtungen. Eine aussergewöhnliche Lebenshaltung sei der Grund dafür, dass diese Bevölkerungsgruppen gesünder und länger leben würden als Menschen anderswo. Die Bezeichnung «Blue Zones» – die Buettner rechtlich schützen liess – entstand, weil er diese Zonen auf einer Karte mit einem blauen Stift markierte.

Doch eine Studie von Dr. Saul Justin Newman vom Londoner Centre for Longitudinal Studies aus dem Jahr 2024 widerlegte auf eindrückliche Weise die von Buettner vorgelegten Resultate. Newman kritisierte vor allem die Datenerhebung und setzte die Zahl der Hundertjährigen in den «Blue Zones» deutlich tiefer an als Buettner. Damit wurde das Thema «Blue Zones» als blosse Marketing-Fata-Morgana entzaubert.

Auch seriöse Wissenschaftler wandten sich dem Thema Langlebigkeit zu. Die Forschenden des Alzheimer's Disease Research Center der Northwestern University in Evanston im Bundesstaat Illinois prägten für die Klassenbesten den Begriff «Super-Ager». Seit nunmehr 25 Jahren untersuchen sie die Verhaltensweisen, die bei optimalen geistigen und körperlichen Bedingungen zu besonders langen Lebenszeiten führen. Und dabei kommen sie zu überraschenden Resultaten, wie sie kürzlich in einer grossen Studie präsentierten, über die die «New York Times» ausführlich berichtete.

Die Studie startete im Jahr 2000 mit dem Ziel, zu eruieren, wie sich der durch das Alter verursachte kognitive Verlust vermeiden lässt. Super-

Ager sind definitionsgemäss Personen über 80 Jahre, die die gleichen Erinnerungsfähigkeiten haben wie Menschen, die 20 oder 30 Jahre jünger sind. Die Forscher setzten dafür Tests über das Erinnerungsvermögen ein. Zum Beispiel untersuchten sie, wie viele von 15 vorgelegten Wörtern man nach einigen Minuten wiederholen kann. Bei 80-Jährigen gilt ein Resultat von 9 richtigen Wörtern als Beleg für eine ausserordentliche Hirnfähigkeit. Damit gehöre man zu den Super-Agern. Sandra Weintraub, Mitautorin der Studie und Professorin für Psychiatrie und Verhaltensforschung in der Northwestern erklärt: «Die Super-Ager sind keine einheitliche Gruppe. Weder nutzen sie alle die gleiche magische Diät noch betreiben sie alle ein Fitnessprogramm oder verabreichen sich dieselben Medikamente. Das Einzige, was bei ihnen allen gleich ist, ist ihre besondere Wertschätzung für soziale Beziehungen. Und von ihrer Persönlichkeit her sind sie eher extrovertiert.» Das heisst, sie nutzen und schätzen Beziehungen und Geselligkeit mehr als andere Personen ihrer Altersgruppe. Der Neurologe Ben Reins fügt hinzu: «Leute mit mehr sozialen Kontakten sind weniger anfällig für kognitive Verluste. Und im Allgemeinen haben sie ein grösseres Hirn.» So zeigen Studien, dass Super-Ager ein Gehirnvolumen wie 50- oder 60-Jährige haben, das um einiges grösser ist als bei 80- oder 90-Jährigen. Super-Ager erleben nur wenige Krankheiten vor dem Tod, statt jahrelange Gebrechlichkeit wie andere Bevölkerungsgruppen.

Ungelöst ist jedoch das Henne-Ei-Problem. Eine Person mit besseren kognitiven Fähigkeiten, die zudem extrovertiert ist, ist eher bereit für soziale Kontakte als jemand, der das Gefühl hat, sein Gedächtnis werde immer schlechter. Es ist also noch unklar, ob soziale Kontakte zu besseren kognitiven Fähigkeiten führen oder ob die bessere Kognition vermehrte soziale Kontakte auslöst.

Der herausragende Altersforscher Dr. Nir Barzilai sieht zusätzlich andere Schwerpunkte: Super-Ager sind Leute, die langsamer alt werden als andere. Ihr zahlenmässiges Alter entspricht nicht ihrem biologischen Alter. Sie entwickeln keine altersbedingten Krankheiten, die medizinisch behandelt werden müssen. Dies ermöglicht es ihnen, länger zu arbeiten, sie können weiterhin ihren vielen Interessen nachgehen und das Leben in vollem Umfang geniessen. Die entscheidende Kennzahl ist für ihn nicht die Lebensdauer (Lifespan), sondern die Zahl der gesunden Lebensjahre (Healthspan). Und er schlussfolgert: «Der Alterungsprozess führt zu Krankheiten … doch dies ist mit Hilfe von biologischen Eingriffen steuerbar. Das Ziel muss sein, sowohl die Lebensdauer als auch die Gesundheitsdauer zu verlängern.»

Zu den bekannten und dokumentierten amerikanischen Super-Agern gehört die über 100-jährige Louise Signore, die aktiv tanzt und mental weiterhin fit ist. Edith Murway-Traina, die mit 100 Jahren als älteste Gewichtheberin ins Guinness-Buch kam, weist gute kognitive Fähigkeiten auf. Auch die Modedesignerin Iris Apfel, die kürzlich verstorbene Verhaltensforscherin Jane Goodall und der Regisseur Clint Eastwood haben allesamt bis ins hohe Alter grossartige Leistungen erbracht und wurden deshalb als Super-Ager identifiziert. Und in der Schweiz ist der 93-jährige Ausnahmekönner Emil Steinberger («Emil») weiterhin mit neuen Projekten unterwegs.

Auch in Deutschland wird seit kurzem zu den Super-Agern geforscht. In der Sendung «Das Geheimnis der Super-Ager» berichtete Arte im März 2025, dass in einer Magdeburger Klinik 300 Personen untersucht wurden, von denen 33 als Super-Ager eruiert werden konnten. Unter ihnen die ehemalige Sprachlehrerin Gisela Opitz, die die 15

Begriffe fehlerfrei und völlig entspannt wiederholen konnte.

Donald Trump hingegen, der sich selbst als «stabiles Genie» bezeichnet und sich als Super-Ager sieht, hat nicht den Test der Northwestern bestanden. Bei seinem Kognitionstest ging es viel banaler zu. Die letzten Fragen seien die schwierigsten gewesen, wie er selbst erzählt. Er habe sich die Folge «Person, Frau, Mann, Kamera, Fernseher» merken müssen. Zehn Minuten später sei er vom Arzt gefragt worden, ob er sich noch an diese Begriffe erinnern könne – was er natürlich perfekt geschafft habe.

Und anfangs November widmete sich ARD-Doktor Edgar von Hirschhausen zu bester Sendezeit mit einem ausführlichen Bericht und sogar mit einem Super-Ager-Selbstversuch diesem Thema, das nun also auch in unserem Sprachgebiet so richtig angekommen ist.

Bedeuten diese überraschenden Forschungsresultate, dass man Super-Ager wird, wenn man seine sozialen Kontakte erhöht? Etwa wenn man der Berieselung durch eine tolle neue Serie auf AppleTV+ oder Netflix entsagt und sich häufiger mit Freunden zum Kartenspiel trifft? Wenn man also die Kadenz und die Intensität der sozialen

Kontakte massiv erhöht und sein Leben in diesem Sinn verändert?

Soziale Kontakte sind hilfreich, doch allein damit erlangt man den aussergewöhnlichen Status eines Super-Agers leider nicht. Denn deren aussergewöhnliche Fähigkeiten beruhen nicht allein auf eigenem Verhalten, sondern ebenso auf Genen und biologischen Grundlagen. Doch es ist ein Schritt in die richtige Richtung, und zwar ein vielfach unterschätzter. Er stärkt die kognitiven Fähigkeiten, mehr nicht. Wer seine langfristige Befindlichkeit verbessern möchte, muss einiges mehr tun, wie in diesem Buch dargelegt werden soll.

Ich habe mir jedenfalls aufgrund dieser Erkenntnisse vorgenommen, die Zahl meiner sozialen Kontakte bewusst auszuweiten, auch wenn dies einiges an Anstrengung und Organisation verlangt. Denn das Gegenteil – die Abkapselung – führt zu Vereinsamung und sogar zur Erhöhung des üblen Stresshormons Cortisol, welches die Demenz befördert. Und der wollen wir doch alle unbedingt entgehen.

Junges Blut

Der israelische Satiriker Ephraim Kishon meinte lächelnd, als ich ihn in einer TV-Sendung über seine aktuelle Befindlichkeit befragte: «Im entscheidenden Bereich kommt es nicht darauf an, wie alt der Mann ist, sondern allein darauf, wie alt die Frau ist.» Später hörte ich, dass seine Frau Sara, «die Beste von allen», wie er sie immer beschrieb, über diese öffentliche Aussage alles andere als erfreut war. Und Udo Jürgens erklärte in einem Gespräch lakonisch: «Eine Frau ist nicht so alt, wie sie sich fühlt, sondern wie sie sich anfühlt», worauf meine Frau dem uncharmanten Macho beinahe eine runterhaute.

Die beiden alten Schwerenöter wiesen mit ihren wenig salonfähigen Erklärungen auf etwas Wichtiges hin. In ihrem Buch «Altern» geht Elke Heidenreich gleich mehrfach auf diesen Sachverhalt ein: «Meine beste Freundin ist zwanzig Jahre jünger als ich, alle meine Freunde, wie auch mein Lebenspartner, sind sehr viel jünger.» Dies ist eine überdeutliche Ansage: Von Altersgenossen hält sie sich mehrheitlich fern, weil der Umgang mit Jüngeren für sie offensichtlich um einiges prickelnder ist. Ihr Lebenspartner, Marc-Aurel Floros, ist 27 Jahre jünger als sie, wie die Klatschpostille «Gala» genüsslich vermeldete.

Nach eigenem Bekunden ist die Autorin Elke Heidenreich glücklich über – und wohl auch stolz auf – ihre Beziehungen mit jüngeren Freundinnen und mit einem sehr viel jüngeren Mann. Geschafft hat sie das wohl nicht allein wegen ihres quicklebendigen Auftretens, ihrer aussergewöhnlichen Eloquenz und ihrer bemerkenswerten Intelligenz, sondern wohl auch wegen ihres Status als prominente Persönlichkeit. All dies hat es ihr ermöglicht, etwas zu erreichen, was nur wenigen älteren Frauen in ihrem Alter gelingt. Ganz viele von ihnen leben alleine und ohne Aussicht, einen neuen Partner, zumal noch einen viel jüngeren, zu finden. Heidenreichs bevorzugtes Umfeld von jüngeren Menschen erscheint deshalb auch als Belohnung für eine persönliche Entwicklung, bei der sie in Bezug auf die eigene Healthspan ganz vieles richtig gemacht hat. So zeigt eine Studie des Deutschen Alterssurvey, dass ältere Erwachsene, die regelmässig jüngere Menschen in ihrem Familien-, Freundes- und Bekanntenkreis haben, eine positivere Wahrnehmung des eigenen Alterns entwickeln. Das gelingt jedoch nur, wenn sie sich für die Jüngeren interessieren und ihnen gegenüber möglichst empathisch auftreten. Junges Blut verströmt eben den Nimbus von langem Leben. Die in Longevity-Kliniken angebotene Blutwäsche, bei denen über Jahre angesammelte Gifte herausgespült werden, wird deshalb als Jungbrunnen vermarktet. Auf der psychischen Ebene soll die Gesellschaft junger Menschen denselben Effekt auslösen. Wer sich vorwiegend in einem jugendlichen Umfeld bewegt und selbst in einer Clique jüngerer Menschen akzeptiert wird, der fühlt sich jünger und damit besser.

In der Welt des Glamours sind «trophy wives», zu Deutsch etwa «Trophäen-Ehefrauen», der vorzeigbarste Beleg für Jugendlichkeit und Erfolg, viel mehr noch, als es ein Lamborghini oder eine Yacht je sein kann. Wer sich jede Extravaganz dieser Welt leisten kann, holt sich eben oft auch junges Blut. Niemand weiss das besser als Donald Trump, der seine Ehepartnerin bereits zweimal gegen eine um einiges jüngere Frau ausgewechselt hat. Aber auch weibliche Stars verhalten sich so. Heidi Klum plaudert öffentlich über ihren tollen Sex mit ihrem 17 Jahre jüngeren Ehemann Tom Kaulitz. Cher und Madonna verhalten sich noch krasser. Sie legen sich nicht nur pausenlos beim Schönheitschirurgen unters Messer, sondern kapern sich mittlerweile 40 Jahre jüngere «trophy guys» mit Virilitätsgarantie, die sie jederzeit problemlos gegen noch jüngere Modelle eintauschen können.

In der Mehrzahl der Ehen ist der Mann älter als die Frau, was dem traditionellen gesellschaftlichen Muster entspricht. In Deutschland trifft dies auf 73 Prozent aller Ehen zu. Auch bei mir ist es so. Seit 30 Jahren bin ich mit Gabriella verheiratet, die 13 Jahre jünger ist als ich. Eine jüngere Frau zu haben, empfinde ich als Privileg und als Herausforderung. Es ist grossartig und belebend, eine Frau neben sich zu haben, die in einer früheren Lebensphase steht. Da auch ihr Zeithorizont weiter als der meine ist, muss ich mich ernsthaft bemühen, um mithalten zu können. Also begleite ich Gabriella ohne falsche Scham an die Zürcher Street Parade, wenn ihr danach ist. Und wenn an einem Anlass getanzt wird, verkrümele ich mich nicht mit irgendwelchen Erklärungen in eine Ecke. Manchmal schaffe ich das nur, wenn ich mir einen Ruck gebe, wie ich mir selbst zugestehen muss. Die Präsenz einer jüngeren Partnerin fordert und beglückt gleichermassen.

Ich habe zudem das Privileg, in meinem Unternehmen mit vielen jungen Personen arbeiten zu dürfen. Das verlangt von mir, weiterhin aufmerksam, wach und kreativ zu bleiben. Nur so sichere ich mir den Respekt meiner Mitarbeitenden. Ähnliches erlebe ich im Kontakt mit meinen drei erwachsenen Kindern, für die ich weiterhin die Rolle eines Mentors einnehmen darf. Offenbar schätzen sie meinen Rat, den ich ihnen auf Anfrage zukommen lasse, um ihnen zu helfen, ihre eigenen Träume zu erfüllen. All dies kann nur geschehen, weil ich mich intensiv bemühe, in allen Bereichen à jour zu bleiben, indem ich mich umfassend informiere und weiterhin offen bin für andere Meinungen und Ansichten.

Viele meiner Altersgenossen leben leider in schwierigeren Verhältnissen als ich. Und einige von ihnen sind bereits in Altersheimen, wo sie beinahe ausschliesslich von alten Personen umgeben sind. Für sie ist es um einiges komplizierter, ihr kognitives Niveau zu erhalten, vor allem wenn gesundheitliche Umstände dies zusätzlich erschweren.

Deshalb ist es unsere Aufgabe, möglichst alles zu unternehmen, damit wir in den nächsten Jahren weiterhin ohne fremde Hilfe auskommen. Der permanente Kontakt mit jüngeren Menschen sollte Teil unseres Programms sein, auch wenn dies in vielen Fällen nicht einfach zu erreichen ist. Die Bedeutung des Austauschs mit der jüngeren Nachbarschaft darf zum Beispiel nicht unterschätzt werden.

Forever young

Der uralte Traum von ewiger Jugend und Unsterblichkeit ist nie verschwunden. Und nirgends ist er heute präsenter als bei Diktatoren, die sich bis an ihr möglichst fernes Lebensende an Macht und Glorie klammern wollen. Als sich Xi Jinping und Putin im August 2025 in Peking trafen, konnte man über ein «hot mic» mithören, wie sie sich über dieses für sie offenbar bedeutende Thema austauschten. Xi zu Putin: «Früher lebten die Menschen bis 70. Heute ist man mit 70 noch ein Kind.» Putin informierte darauf seinen Gastgeber: «Menschliche Organe können kontinuierlich transplantiert werden. Je länger man lebt, desto jünger wird man und kann sogar Unsterblichkeit erlangen.» Worauf Xi antwortete: «Einige sagen voraus, dass Menschen in diesem Jahrhundert bis zu 150 Jahre alt werden können.» Damit formulierten sie nicht nur allgemeine Prognosen, sondern wohl auch ihre konkreten Pläne, wie sie diese Möglichkeiten für sich selbst nutzen würden.

Für uns gewöhnliche Boomer war die furchterregende Zahl 80 sehr lange sooo weit weg! Wohl deshalb haben wir uns in früheren Jahren kaum mit dem Alter beschäftigt. Dies gilt noch mehr für jene Gruppen, bei denen das Jungsein das Zentrum ihres Lebensgefühls bildet.

1967 bin ich erstmals auf einen solchen Jugendlichkeitskult gestossen, als ich im nachträglich vergötterten «summer of love» in San Francisco eintrudelte. Zufällig im Greyhound-Bus angetroffene Fahrtgenossen machten mich auf eine neue, aufregende Bewegung aufmerksam, die sich in der Stadt gebildet habe und von der ich noch nie gehört hatte. So fuhr ich umgehend ins Quartier Haight-Ashbury, ins Epizentrum des Geschehens. Was ich dort sah, beeindruckte mich so nachhaltig, dass ich mir bei meiner Gastfamilie eine Schreibmaschine auslieh, in die ich meinen allerersten Zeitungsartikel über das epochale Hippie-Phänomen hämmerte. Und die «Weltwoche» veröffentlichte den Artikel tatsächlich, unter dem Titel «Die blaue Blume von San Francisco».

Jahrzehnte später reisten wir als Familie mit einem Round-the-World-Ticket auch nach Australien. Freunde von uns machten uns dort auf das Städtchen Nimbin im Hinterland von Byron Bay aufmerksam. Dieser Ort sei seit Jahrzehnten ein einzigartiges Hippie-Zentrum, erzählten sie uns. Der Beginn dieser Entwicklung sei das Aquarius Festival im Jahre 1973 gewesen, das Menschen aus allen Ländern angezogen habe, von denen sich viele in Nimbin auf Dauer niedergelassen hätten und bis heute geblieben seien. Dort würden sie weiterhin ihrem alternativen Lebensstil frönen – und dies mit den altbekannten Ingredienzen: Peace, Love, Kunsthandwerk, Umweltbewusstsein – und natürlich ganz viel Cannabis. Erstaunlicherweise besteht für Nimbin im sonst strikt drogenfrei gehaltenen Australien ein einmaliger Freiraum, weil die dortige Polizei mit diesem Thema viel lockerer umgeht als anderswo im Land. Und deshalb ist dieser Ort das ideale Umfeld für tausende von Hippies geblieben.

Doch die Hippies sind seit damals älter geworden. Viel älter. Nicht wenige von ihnen sind von langem und intensivem Drogenkonsum äusserlich gezeichnet und wandeln wie dürre Gespenster durch die Strassen. Vom früheren, überwältigenden Sex-Appeal, der diese Jugendbewegung auszeichnete, ist nichts übrig geblieben. Es begegneten uns Gestalten, die sich wie Figuren aus der TV-Serie «The Walking Dead» irgendwie über Wasser zu halten versuchen. Denn ihr ursprünglicher Plan beinhaltete vieles, nur eines nicht: Gedanken dazu, wie es sein würde, wenn sie alt sind.

Die Hippies hatten auch Ibiza früh für sich entdeckt. Vor allem im Norden der Insel haben sie sich rund um das Dörfchen San Juan in grosser Zahl niedergelassen. Während sie in ihren Gärtchen ihr geliebtes Gras wachsen liessen, finanzierten sie sich vor allem mit der Herstellung von Kunsthandwerk, das sie auf dem sonntäglichen lokalen Markt zum Verkauf anboten. Das attraktive Hippie-Label nutzten bald darauf auch andere, die im Zentrum der Insel einen grossen Hippie-Markt mit riesigem Parkplatz eröffneten, auf den sich der stetig ansteigende Touristenstrom stürzte. Doch je grösser dieser Erfolg wurde, desto mehr wurden die echten, originalen und nun auch viel älteren Hippies von professionellen Händlern verdrängt. Und da in Ibiza die Preise für Wohnungen und Häuser laufend neue Höchstpreise erreichen, konnten viele Hippies mit ihrem traditionell bescheidenen Lebensstil kaum mehr mithalten und mussten die Insel verlassen. So floriert der Hippie-Markt in Ibiza weiter – allerdings weitgehend ohne Hippies. Das sture Festhalten am Lebensstil einer Jugendkultur bis in die späteren Lebensphasen gelingt eben nicht, weil man dann als alternde Person wortwörtlich aus der Zeit gefallen ist.

Eine andere Geschichte erzählte mir Heini Bornstein, der von Basel ins damalige Palästina reiste, um als Pionier mit seinen Freunden unweit der langjährigen Grenze mit Syrien einen Kibbuz aufzubauen und das Land fruchtbar zu machen. Am Tag schuftete die Gruppe auf den heissen Feldern, die Nächte füllte sie in ihrer jugendlichen Euphorie mit stundenlangen Hora-Tänzen. Und tatsächlich: Das Kibbuz Hajelet Haschachar wurde zu einem Schmuckstück im nördlichen Galil. Kurz vor seinem Tod und umringt von seinen Enkeln sagte mir Heini: «An alles, wirklich alles haben wir gedacht. Nur nicht daran, wie es sein wird, wenn wir ganz alt sein werden. Wir glaubten, wir bleiben ewig jung.»

Ewig jung? Forever young? Der Wunschtraum so vieler Menschen, der aber für niemanden in Erfüllung gehen kann. Als der Song «Forever young» von Alphaville im Jahre 1984 in die Charts kam, traf er augenblicklich einen Nerv. Der Refrain lautet so:

Forever young
I want to be forever young
Do you really want to live forever?
Forever and ever

Ein unerreichbares Ziel, das vielleicht auch

deshalb eine einzigartige Faszination ausstrahlt. Diesen Gegensatz empfand ich besonders schmerzlich, als Polo Hofer, der erfolgreichste Schweizer Musiker der Neuzeit, ausgerechnet diesen Titel für seinen allerletzten Fernsehauftritt auswählte, den er völlig entkräftet und von den Vorboten des Todes bereits stark gezeichnet kaum bis zum Ende durchhielt. «Forever young» sang er mit allerletzter Anstrengung und schwächlicher Stimme ins Mikrofon, nachdem er seinem Körper während Jahrzehnten mit vielen Drogen und noch mehr Alkohol viel zu viel zugemutet hatte.

Für Frauen ist das Aussehen wichtiger als für Männer. Deshalb haben es Frauen im Alter schwerer als Männer. Das ist die wichtigste Aussage von Susan Sontags Essay «The Double Standard of Aging» aus dem Jahr 1972, die auch heute noch weitgehend Gültigkeit hat. So reduziere das Alter den sozialen und sexuellen Wert von Frauen, während Männer durch Alter Respekt, Weisheit oder Attraktivität gewinnen könnten, argumentierte die amerikanische Feministin. Frauen würden unter Druck stehen, jugendlich zu wirken, was sie durch Kosmetik, Diäten oder Schönheitsoperationen zu erreichen versuchten. Männer hingegen würden viel weniger unter einem solchen Druck stehen. Ihr Altern könne als Zeichen von Erfahrung und Autorität gesehen werden. «Die Frau verblüht, der Mann reift. Die Frau wird in der Regel über ihr Äusseres beurteilt, der Mann über seinen Status», fasst Elke Heidenreich diese Erkenntnis lakonisch zusammen und zitiert dabei Simone Signoret, die viele Jahre lang mit dem gleichaltrigen Yves Montand verheiratet war. Elke Heidenreich selbst beklagt sich jedoch nicht. In einem kürzlich in der «Bunten» publizierten Interview erklärt die heute 82-jährige: «Ich habe die gute Haut von meiner Mutter geerbt, bin nicht verknittert. Im Alter werde ich eher schöner, das ist mein Lebensgefühl.»

Doch das Problem für Frauen ist vielschichtiger. So belegen neue Zahlen des Statistischen Amts der EU (Eurostat), dass in Europa die Zahl der bei der Geburt zu erwartenden gesunden Lebensjahre (Healthspan) durchschnittlich 62,8 Jahre für Frauen und 62,4 Jahre für Männer beträgt. Das ist deshalb überraschend, weil die Lebenserwartung der Männer mit 78 Jahren gegenüber jener der Frauen mit 83 Jahren fünf Jahre kürzer ist. Das heisst, dass Frauen ihre zusätzlichen Lebensjahre häufiger bei schlechter Gesundheit verbringen – ein erschütternder Befund.

Die Zahlen für die Schweiz sind noch weniger erfreulich. Bei der Erwartung der gesunden Lebensjahre liegt man gegenüber der EU generell im Rückstand, und dies besonders bei den Frauen. Bewohnerinnen der Schweiz haben bei der Geburt rein statistisch nur 56,7 gesunde Lebensjahre vor sich, bei den Männern sind es immerhin 61,4 Jahre. Diese europaweit erhobenen Daten beruhen auf Befragungen und sind deshalb bis zu einem gewissen Grad ein Produkt der subjektiven Wahrnehmung. Möglicherweise beurteilt man in der Schweiz die gesundheitlichen Einschränkungen anders als in Bulgarien. Dies ändert aber nichts daran, dass die Zahl der gesunden Jahre – insbesondere bei Frauen – erstaunlich kurz ist. Dies gilt es zu ändern. Darauf müssen wir uns ausrichten, und nicht ausschliesslich auf eine lange Lebensdauer.

Es geht zuerst um Gesundheit, aber auch um Äusserliches. Ist das gute Aussehen für unsere Generation deshalb so überaus wichtig, weil wir unsere glitzernde Jugendlichkeit von allem Anfang an ins Zentrum unseres Selbstverständnisses gestellt hatten? Gilt das für uns auch deshalb in verstärktem Mass, weil wir viele unserer früheren Verhaltensmuster beibehalten haben, etwa wie wir uns auch heute noch kleiden? Jeans mit 80 – so etwas wäre früher undenkbar gewesen. Oder, dass viele von uns weiterhin Konzerte besuchen, in denen wir den Idolen unserer Jugend und ihren Nachfolgern zujubeln? Und wenn man gar hie und da einen Joint anzündet, wird die ferne, so inniglich geliebte Vergangenheit verklärend in die Gegenwart transportiert.

Die laufenden technischen Verbesserungen waren für Frauen im Film und im Fernsehen ein zusätzliches Problem. Die früher meist verschwommenen Bilder wurden immer schärfer und damit auch unerbittlicher. Als ich die grossartige Shirley MacLaine im Jahr 1995 in meiner TV-Talkshow interviewen sollte, wollte der damals 61jährige Hollywood-Star, dass wir einen Nylonstrumpf vor die Kamera spannen würden, damit man ihr nicht mehr ganz makelloses Gesicht optisch verwischen konnten. Offenbar war sie das von Auftritten in amerikanischen Shows gewohnt. Doch leider konnte ich ihr diesen Gefallen nicht machen, weil ein solches Vertuschungsobjekt in unserem Studio nicht verfügbar war. Heute ist alles anders. Digitale Filter sind etwa bei Instagram Teil des Grundangebots.

Eitelkeit ist auch gewissen Männern nicht fremd. Ich erinnere mich an eine Sendung mit dem weltbekannten Zauberer, der sich den Namen David Copperfield zugelegt hat. Nach einer freundlichen Begrüssung stürzte er sich im TV-Studio blitzschnell auf meinen Platz. Als ich ihm erklärte, dass ich in jeder Sendung dort sitzen würde und er doch bitte auf den zweiten Stuhl wechseln sollte, winkte er ab: «Ich bleibe hier. Nur so erfassen die Kameras mein Gesicht von meiner guten Seite.» Als ich protestierte, antwortete er schnippisch: «Entweder machen wir es so, oder dann gibt es eben heute keine Sendung.» Wir sehen auch besser aus als frühere Generationen, weil wir unserer Gesundheit mehr Sorge getragen haben, was sich nicht nur in einer höheren Lebenserwartung niedergeschlagen hat. Darum sind auch unsere eigenen Erwartungen an uns grösser geworden. Der grassierende Jugendlichkeitskult verlangt vor allem von Frauen, optisch möglichst lange mithalten zu können.

Abhilfe verspricht die Anti-Aging-Branche durch gezielte Massnahmen, die die äusserliche Alterung verlangsamen. Im Angebot stehen etwa Hautpflegeprodukte, die vor allem als Sonnenschutz wirken sollen, da der Alterungsprozess der Haut erheblich durch die UV-Strahlung beschleunigt wird. Hinzu kommen Behandlungen mit Botox, Hyaluron und Laser, um den Elastizitätsverlust, die Falten und Pigmentflecken zu bekämpfen. Auch sollen schädliche Gewohnheiten wie Rauchen, eine ungesunde Ernährung und wenig Schlaf möglichst vermieden werden. Aber aufhalten lässt sich der äusserliche Alterungsprozess auch mit den teuersten Anti-Aging-Methoden nicht.

Deshalb werden Schönheitsoperationen selbst bei älteren Menschen immer häufiger. In Deutschland beträgt der Anteil bei Frauen 85 Prozent, derjenige der Männer demnach nur 15 Prozent – aber mit steigender Tendenz. Die häufigsten Schönheitsoperationen bei Personen über 60 Jahre betreffen Schlupflider und Tränensäcke, die das Gesicht müde wirken lassen. Ein grösserer Eingriff ist das Facelifting, bei dem die Haut im Gesicht und am Hals gestrafft wird, was einen Verjüngungseffekt von mehreren Jahren auslösen soll. Ähnliche Resultate versucht man mit nichtoperativen Methoden wie Botox oder Hyaluron zu erzielen. Und ästhetische Zahnbehandlungen sollen ebenfalls positive Wirkung zeigen.

Schönheitsoperationen werden in der Öffentlichkeit jedoch weitgehend tabuisiert. Nicht so bei den Kardashians, die pausenlos und minutiös über ihre entsprechenden Aktivitäten rapportieren. Auch Dolly Parton sprach offen über ihre Brustimplantate, ihre Augenlid-OPs und ihr Augenbrauenlifting. Debbie Harry und Jane Fonda gestanden ebenfalls, dass solche Eingriffe ihrer Karriere geholfen haben. Dasselbe taten die Supermodels Tyra Banks, Chrissy Teigen und Christie Brinkley, ohne dass dies ihren Karrieren in der Welt der ganz Schönen geschadet hat. Harsche Kritik kam hingegen von der bestandenen Schauspielerin Jamie Lee Curtis. Sie sagte kürzlich in einem Interview in der britischen Zeitung «The Telegraph»: «Ich habe alles gemacht. Schönheitsoperationen, Botox, alles. Aber nichts wirkt. Überhaupt nichts».

Die Männer sind bei diesem Thema noch verschwiegener. So verneinen sowohl Michael Douglas als auch Al Pacino, Billy Crystal, Burt Reynolds und Tom Cruise, sich je einem Schönheitschirurgen unters Messer gelegt zu haben, wobei die optischen Beweismittel überwältigend sind. Obwohl das Äussere bei Männern allgemein als weniger wichtig gilt, trifft das im Besonderen nicht auf die Stars zu, die ihr Leben im gleissenden Licht von Kameras verdienen.

Forever young ist also keine erfolgversprechende Strategie. Dieses Ziel ist nicht zu erreichen, auch nicht von Bewegungen, die das junge Lebensalter ins Zentrum gestellt haben. Aber wir können einiges unternehmen, um nicht vorzeitig zu altern. Unsere Generation hat dazu bessere Voraussetzungen als alle, die vor uns kamen. Dabei müssen wir ehrlich zu uns selbst sein. Der heute grassierende Jugendlichkeitswahn klingt zwar verführerisch, doch er ist ein Irrweg. Sinnvoller ist es, Strategien zu pflegen, die den Prozess des Alterns hinausschieben. Mehr geht nicht – auch wenn wir es uns sehnlichst wünschen. Aber wenn wir weiterhin zu einer gewissen Eitelkeit stehen, können uns Massnahmen beglücken, die uns etwas frischer und jünger wirken lassen. Damit sollten wir uns zufriedengeben. Denn wer – wie Cher – danach strebt, jünger zu wirken als die eigene Tochter, die oder der macht definitiv vieles falsch.

Übrigens: Putins Traum, ewig oder mindestens noch ganz, ganz lange zu leben, gilt nicht für die Menschen, über die er seit Jahrzehnten herrscht. So liegt die aktuelle Lebenserwartung russischer Männer bei 68 Jahren, also viel tiefer als in allen anderen Industrieländern.

Ich habe den Laden da unten geschlossen

Alterssex ist längst kein Tabu mehr, auch wenn ältere Menschen in Runden von Gleichaltrigen dieses Thema fast immer ausklammern und bereitwillig und ausführlich über ihre jeweiligen Zipperlein sprechen. Das ist unverbindlich, das ist altersgerecht, finden fast alle.

Dabei zeigt eine Umfrage der University of Michigan, dass 40 Prozent der Menschen zwischen 65 und 80 Jahren weiterhin sexuell aktiv sind. Bei denjenigen, die in einer Partnerschaft leben, steigt dieser Wert auf 54 Prozent. Und gemäss einer schwedischen Studie mit Personen, die 85 Jahre und älter sind, waren im Vorjahr 18,7 Prozent der Männer und 8,4 Prozent der Frauen sexuell aktiv. Das heisst, dass die sexuelle Aktivität im höheren Alter zwar abnimmt, aber nicht abrupt endet. Der umgangssprachliche Ausdruck «use it or lose it» (mach es, sonst geht es weg) deutet darauf hin, dass bei nicht gelebter Sexualität die Lust mit der Zeit abnimmt. Umgekehrt heisst es, dass es nach einer längeren, sexlosen Phase grösserer Anstrengungen bedarf, um diesen Zustand zu ändern.

Dr. Ruth Westheimer, die als Dr. Ruth bekannteste Sexologin der Welt, betonte ausdrücklich, dass Sex in allen Lebensphasen eine wichtige Rolle spielen sollte, und forderte auch in späteren Jahren eine offene Diskussion zu diesem Thema. Sie empfahl älteren Paaren, ihre sexuellen Aktivitäten am Morgen nach einer erholsamen Nachtruhe durchzuführen. Der Testosteronspiegel bei Männern sei morgens am höchsten, was die Erektionsfähigkeit unterstütze. Auch Frauen seien morgens empfänglicher für Sexualität, da sie ausgeruht und entspannter seien. Und sie ermutigte Paare, neue Dinge auszuprobieren. Sie sollten die Sexualität weiterhin geniessen, ohne sich durch das Alter einschränken zu lassen, verkündete sie auf allen Kanälen.

Bei ihren Besuchen in der Schweiz, wo sie auch im fortgeschrittenen Alter noch Ski fuhr, unterhielten wir uns oft sehr angeregt über dieses Thema. So erklärte sie mir etwa, dass Skilehrer die besten Liebhaber seien. Doch später, als sie in New York mit Tennisspielen begann, änderte sie ihre Meinung und erklärte Tennislehrer zu den allerbesten Liebhabern, was wohl zwar auf empirischen, jedoch kaum auf wissenschaftlichen Daten beruhte …

Einige Studien deuten darauf hin, dass das Wohlbefinden von älteren Menschen, die sexuell aktiv sind, höher ist. Dabei geht es um eine erfüllende, altersmässig angepasste Form. Man sollte nicht versuchen, Sex «wie früher» zu haben, weil dies zumeist nicht funktioniert. So gilt es Hindernisse zu überwinden, die es in jungen Jahren nicht gab. Bei Männern sind es Erektionsprobleme, die mit Viagra, Cialis oder Tadalafil erfolgreich angegangen werden können. Diese Produkte haben weltweit eine gewaltige Verbreitung gefunden.

Bei den Frauen ist es komplizierter. Für sie gibt es leider noch keine erfolgreichen chemischen Hilfsmittel, die ihre Lustgefühle verstärken. Dies fällt umso mehr ins Gewicht, weil bei vielen Frauen nach der Menopause das Phänomen der vaginalen Trockenheit entsteht. Dieses Problem kann man relativ einfach mit Gleitmitteln, Vaginal-Moisturizer oder natürlichen Ölen angehen. Noch wenig bekannt ist die vaginale Lasertherapie, die bisher von nur wenigen Frauenärztinnen angeboten wird. Es handelt sich um eine minimal-invasive Behandlung, die darauf abzielt, die vaginale Gesundheit und Funktionalität zu verbessern. Sie wird zur Behandlung von Beschwerden wie Scheidentrockenheit, Spannungsverlust der Vaginalwände, Belastungsinkontinenz und Schmerzen beim Geschlechtsverkehr eingesetzt. Bei dieser Methode gibt der Laser kurze Impulse in die Scheidenwand ab, die mikroskopisch kleine Verletzungen auslösen, welche die körpereigene Wundheilung und die Kollagenbildung anregen. Die Schleimhaut soll wieder dicker, elastischer und besser durchblutet werden, was zu einer natürlichen Befeuchtung führt. Allerdings gibt es zu dieser Methode noch keine Langzeitstudien. Sie wird darum nicht von allen Fachgesellschaften empfohlen. So kritisiert die amerikanische FDA (US Food and Drug Administration), dass die vaginale Lasertherapie als «Verjüngung» vermarktet werde, obwohl dies wissenschaftlich nicht klar belegt sei.

Man sollte sich also möglichst gründlich darüber informieren, was zu unternehmen ist, damit man sich auch in späteren Jahren nicht vollständig vom Sex verabschieden muss. Beim Sex im Alter geht es nicht allein um Penetration. Sinnliche Berührungen, Massagen, Kuscheln und gemeinsames Baden schaffen ebenfalls eine intime Atmosphäre und bereichern Beziehungen. Eine Studie der Humboldt-Universität zeigte, dass sich ältere Paare, die im Alltag häufiger körperliche Nähe wie Umarmungen oder Küsse erleben, insgesamt besser fühlen. «Die Ergebnisse unserer Studie legen nahe, dass auch kleine Formen des Körperkontakts, sei es Berührung, Umarmung, oder Kuss, im Alltag wichtig für das Wohlbefinden sind», sagt Erstautorin Karolina Kolodziejczak, wissenschaftliche Mitarbeiterin am Institut für Psychologie der Humboldt-Universität.

Nach längeren Sexpausen können neben Gesprächen bereits kleine körperliche Berührungen mithelfen, verlorenes Vertrauen wieder aufzubauen. Aber nicht alle wollen dies. Jane Fonda, die gemäss eigenen Bekundungen ein vielfältiges und aufregendes Sexleben hatte, erklärte 2017: «Ich bin 80. Ich habe den Laden da unten geschlossen.» («I'm 80, I've closed up shop down there.») Mit dieser Aussage erzielte sie weltweit grosse Aufmerksamkeit. Ob sie sich seither immer daran gehalten hat, ist nicht bekannt. Bereits drei Jahre später hat sie in einem Interview nämlich erklärt, dass sie sich jetzt sehr wohl wieder eine Beziehung mit einem jüngeren Mann vorstellen könne …

Gute Nacht!

In ihrem Bestseller «Altern» präsentiert sich die 82-jährige Autorin Elke Heidenreich gut gelaunt, optimistisch und witzig. Nur ein einziges echtes Malheur führt sie auf. «Wir schlafen schlecht im Alter. Ich habe mich mit anderen Alten darüber unterhalten, es geht allen so: zwischen drei und fünf Uhr in der Nacht liegen wir wach.»

Wirklich? Allen? Ihre Datenlage dafür ist etwas gar dürftig. Mehrere Studien belegen nämlich, dass dieser Vorgang nur bei etwa 30 Prozent der Älteren festgestellt wurde. Auch ich bin von den von ihr beschriebenen quälenden regelmässigen Frühwachphasen nicht betroffen. Und eine ebenso wenig repräsentative Umfrage in meinem Bekanntenkreis führt nicht zu den apodiktischen Schlussfolgerungen der deutschen Erfolgsautorin.

Medizinisch bezeichnet man die morgendliche Aufstehzeit von 4 bis 6 Uhr als Vorverlagerung der Schlafphase. Sie erklärt sich dadurch, dass sich die innere Uhr bei älteren Menschen nach vorne verschiebt. Die Müdigkeit tritt am Abend früher ein, und der Körper wacht früher auf. Aber es ist falsch, wie oft behauptet wird, dass ältere Menschen generell weniger Schlaf brauchen als

Jüngere. Sieben bis acht Stunden Schlaf gilt auch für sie als empfohlene Nachtruhe. Gemäss der Schlafforschung zählen 60 bis 70 Prozent der Personen über 65 zu den Frühschläfern («Lerchen») und Frühaufstehern. Aber beachtliche 30 Prozent («Eulen») gehen erst nach 23 Uhr ins Bett. Eine kleine Umfrage in meinem Boomer-Umfeld deutet darauf hin, dass die Gruppe der Spätschläfer und Spätaufsteher in unserer Altersklasse tendenziell grösser wird.

Auch meine innere Uhr hat sich nicht nach vorne verschoben. Ich geniesse die meisten Abende bis weit in die Nacht, besuche Anlässe, lese Bücher, stöbere im Internet und treffe mich mit Freunden zu Abendessen. Zudem erfreue ich mich bis spät abends an Champions-League-Spielen oder spannenden Talkshows im deutschen Fernsehen, die gerade bei älteren Zuschauern hohe Einschaltquoten erreichen. Erst gegen Mitternacht fühle ich mich richtig müde und kann dann zumeist problemlos einschlafen. Und dort verbleibe ich die notwendigen sieben oder gar acht Stunden, um am Morgen erholt zu erwachen. Also: Von der vermaledeiten senilen Bettflucht ist bei mir keine Spur, ebenso wenig von den beschriebenen furchterregenden Frühmorgenwachphasen! Auch habe ich als «Eule» nicht auf den Altersheim-Modus mit Abendessen um 18 Uhr und Bettruhe um 21 Uhr umgestellt – und fühle mich dabei ähnlich vital wie früher.

Die Bedeutung des Schlafs für die gesunde Langlebigkeit wurde von der Forschung während sehr langer Zeit völlig unterschätzt. Es ist die nächtliche Schlafdauer, die entscheidend ist – und nicht die Schlafenszeit. Dies gilt es zu beachten. Der allnächtliche Tiefschlaf steuert den Metabolismus und die Hormone und reinigt zusätzlich das Hirn. Besonders wichtig ist auch die REM-Phase, die nicht zu kurz sein sollte. Es besteht sowohl ein höheres Demenz- als auch ein ebenso höheres Herzinfarktrisiko, wenn man zu wenig lang schläft oder wenn man an Apnoe oder an Schlafstörungen leidet. Die Forschung zeigt deutlich, dass ältere Menschen, die sechs Stunden oder gar weniger schlafen, ein bis zu 30 Prozent höheres Risiko für Demenz haben. Ähnliche Risiken bestehen aber auch, wenn man regelmässig länger als acht Stunden schläft. Und das Mittagsschläfchen sollte nie länger als eine Stunde dauern. Sven Voelpel schreibt dazu in seinem Buch «Die Jungbrunnenformel»: «Bislang hat der Mittagsschlaf in Deutschland jedenfalls noch arg mit seinem schlechten Image zu kämpfen und setzt sich eher mühsam durch. Dafür könnte er für alle Seiten so gewinnbringend sein!»

Deshalb sollte man auf klare Schlafrituale mit möglichst identischen Schlafzeiten achten, ebenso auf eine angenehme Schlafumgebung in einem kühlen Raum mit schwachem Licht. Hilfreich sind zusätzlich auch Augenbinden, die ich seit einiger Zeit regelmässig nutze. Mit diesen Massnahmen schliesst man störende äussere Einflüsse weitgehend aus. Das Ziel besteht darin, während mindestens sieben Stunden möglichst ununterbrochen zu schlafen, weil dies dem Körper die notwendige Zeit lässt, um Hormone und Blutzuckerspiegel zu regulieren. Diese Zeitvorgabe gilt auch für das Hirn, damit es toxische Stoffe ausschütten kann.

Abhilfe gegen regelmässige Schlafstörungen kann ein regelmässiges Sportprogramm liefern, weil dieses den Blutfluss ins Hirn aktiviert. Hingegen warnen Experten vor der regelmässigen Einnahme von Melatonin oder Magnesium zur Bekämpfung von Schlafstörungen. Medizinische Schlafmittel (z. B. Benzodiazepine wie Diazepam, Z-Drugs wie Zolpidem oder bestimmte Antihistaminika) können zwar in akuten Situationen hilfreich sein, bergen aber eine ganze Reihe von Problemen und Risiken – besonders bei längerem Gebrauch. Sie sollten nur unter ärztlicher Kontrolle eingesetzt werden. Sie verkürzen oft die so wichtigen Tiefschlaf- und REM-Phasen. Der Schlaf kann oberflächlicher werden, sodass er weniger erholsam ist, auch wenn man rein stundenmässig länger schläft.

Besser ist, wenn man gewisse Übungen macht. Elke Heidenreich erklärt ihre Methode, mit der sie ihr Problem entschärft: «Ich zähle mir Dinge auf: In wie vielen Wohnungen habe ich schon gelebt? Weiss ich die Adressen noch alle? Wie viele Tiere hatte ich, wie hiessen sie? Oder ich sage mir Gedichte auf. Und siehe da, plötzlich schlafe ich wieder ein.» Wann das ist, verrät sie nicht. Erst um 5 Uhr? Und wie lange schläft sie dann nochmals? Denn die 7-bis-8-Stunden-Regel gilt für alle, auch für Menschen mit ungewöhnlichem Schlafrhythmus. Und dies, selbst wenn es vielen schwer fällt, sich daran zu halten.

Guten Appetit!

Der Body-Mass-Index (BMI) der Weltgesundheitsorganisation (WHO) teilt die Erwachsenen in Kategorien ein. Als ich vor kurzem meinen BMI überprüfte, erschrak ich. Mit meinem aktuell gemessenen BMI von etwas über 25 soll ich der Gruppe von Leuten mit Übergewicht – lateinisch noch angsterregender: Präadipositas – angehören. Diese Gruppe deckt die Bandbreite von 25,0 bis 29,9 ab. Auf der Suche nach Erklärungen stiess ich auf Studien, die mich aufatmen liessen. So erfuhr ich, dass für unsere Altersgruppe ein BMI zwischen 24 und 30 ideal ist, dass also die allgemeinen Einteilungen für ältere Leute irreführend sind.

Leichtes Übergewicht ist für unsere Altersklasse nicht ein Problem, sondern die Lösung, weil es uns schützt. Diese Tatsache ist in der Wissenschaft als Adipositas-Paradoxon bekannt. Gefährlich ist eben nicht in erster Linie das Übergewicht, sondern das Untergewicht, wie es bei vielen älteren Menschen vorkommt. Untergewicht führt zu einer höheren Infektionsanfälligkeit und zu vermehrten Stürzen und Knochenbrüchen, was alles fatale Auswirkungen haben kann. Wichtiger als der BMI ist die Grösse der Muskelmasse, die im Verlauf des Alterungsprozesses wegschmilzt und sich nur mit sportlichen Anstrengungen und einer ausgewogenen Ernährung weitgehend erhalten lässt.

Vor vier Jahrzehnten verbrachte ich mit meiner Familie Ferien am Strand von Negril in Jamaica, wo ich im Angebot der Restaurants kein Fleisch vorfand. Als wir nach zwei Wochen nach Miami weiterflogen, stürzte ich mich noch am selben Abend auf ein typisches amerikanisches Steak, wonach es mich die ganze fleischlose Zeit über gelüstet hatte. Und ich wurde optisch nicht enttäuscht. Das Prachtstück auf meinem Teller erwies der amerikanischen Küche jede Ehre. Ich legte los, doch bereits nach dem Verzehr der Hälfte, kapitulierte ich und gestand mir: Eigentlich schmeckt mir dieses Steak nicht so gut, wie ich es mir in meiner unfreiwilligen Entzugsphase ausgemalt hatte. In diesem einen Moment entschied ich, dass ich von nun an auf rotes Fleisch verzichten würde. Dieser Entschluss erfolgte spontan und nicht aus ethischen, ökologischen oder gesundheitlichen Erwägungen. Seither bin ich ein äusserst flexibler Flexitarier, der sich zum Auffüllen der Eisenspeicher – also aus rein medizinischen Gründen, wie ich es mir selbst erkläre –einmal im Monat ein möglichst saftiges Stück Fleisch zu Gemüte führt.

In der Zwischenzeit kennen wir alle Fallstricke der karnivoren Ernährung. Da rotes Fleisch viele gesättigte Fettsäuren und Cholesterin enthält, erhöht es die Blutfettwerte und fördert die Arteriosklerose. Häufiger Konsum vergrössert das Risiko für Bluthochdruck, Herzinfarkt und Schlaganfall. Die Kost, die aus pflanzlichen Lebensmitteln besteht, ist gesünder. Mein instinktiver Entschluss war also nicht nur aus Geschmackssicht, sondern auch in Bezug auf etwas viel Wichtigeres richtig gewesen.

Und dies gilt auch für andere Bereiche. So begann ich, täglich Blaubeeren in mein Müsli oder in den Cottage Cheese zu streuen, und dies lange bevor die aussergewöhnlich positiven gesundheitlichen Wirkungen dieser geschmacksreichen Frucht in allen Gazetten gefeiert wurden. Heute sind frische Blaubeeren ein Renner und in allen Supermärkten erhältlich.

Bei Amazon findet man heute nicht weniger als 60 000 Bücher, in denen Diäten präsentiert werden. Umso schwieriger ist es, sich Klarheit darüber zu verschaffen, welches die wirklich beste

Diät für ein gesundes Leben ist. Häufig wird völlig ausser Acht gelassen, dass nicht alle Menschen gleich auf Nahrung reagieren. In unseren kommenden Lebensjahren wird die Ernährung unser Wohlbefinden in noch stärkerem Mass bestimmen, als sie es in unserem bisherigen Leben getan hat. Das hat mehrere Gründe. Einerseits sinkt unser Energiebedarf gegenüber früher. Anderseits aber verbleibt unser Bedarf an Nährstoffen auf dem früheren Niveau oder steigt sogar an, wie Studien zeigen. Das bedeutet, dass es noch entscheidender ist als in jüngeren Jahren, die richtigen, werthaltigen Nahrungsmittel aufzunehmen.

Auch anderes wird schwieriger: Die Verdauung verlangsamt sich, was chronische Verstopfung auslösen kann. Zudem werden Mineralien und Vitaminstoffe nicht mehr so leicht aufgenommen wie früher. Und wenn der Geschmacks- und Geruchssinn zurückgeht, führt dies zu weniger Appetit und in der Folge zum oben beschriebenen gefährlichen Untergewicht.

Aber sollte man sogar einen Schritt weitergehen? In letzter Zeit hat sich das Thema Proteine in den Vordergrund gedrängt, und dies nicht allein bei Topathleten. Müssen auch wir uns um eine erhöhte Einnahme von proteinhaltigen Nahrungsmitteln bemühen? Viele europäische Spezialisten sind heute dieser Meinung und glauben, dass bei Personen über 65 die Proteineinnahme um mindestens 25 Prozent höher sein sollte, als es die aktuellen amerikanischen täglichen Richtlinien von 1,0 bis 1,2 Gramm pro Kilo Körpergewicht vorsehen. Eric Topol stimmt in seinem Buch «Super Agers» zu: «Es gibt Hinweise, dass für ältere Menschen eine höhere Dosis Protein nötig ist, allerdings ist die genaue Menge noch unklar.» Um dieses höhere Ziel zu erreichen, sollte man mit jeder Hauptmahlzeit 25 bis 30 Gramm Protein zu sich nehmen, dies vor allem durch mageres Fleisch, Fisch, Eier, Milchprodukte, Hülsenfrüchte und Sojaprodukte. Noch weiter geht Peter Appia in «Outlive». Er verschreibt seinen Patienten 1,6 Gramm Protein pro Tag und Kilogramm Körpergewicht, also einiges mehr als die offiziellen US-Vorgaben, die auch von den Fachgesellschaften im Dach-Raum als Referenzwerte übernommen wurden. Die idealen Werte liegen seiner Meinung nach noch höher, nämlich bei 3,2 Gramm – also beinahe das Dreifache der offiziellen Dosis! Dabei ist nicht geklärt, ob man mit dieser Massnahme nur die Muskelkraft erhöht, oder sich auch die Muskelmasse vermehrt. Hingegen weiss man aus Studien, dass selbst eine geringe Erhöhung der Proteinaufnahme bei älteren Menschen den fortschreitenden Verlust von Muskelmasse verlangsamt.

Neben den als besonders proteinreich angepriesenen Lebensmitteln, die in immer grösserer Zahl im Angebot der Supermärkte stehen, gibt es heute eine Vielzahl von Ergänzungsprodukten, die grossen Absatz finden. Seit kurzem werfe ich deshalb täglich vier Proteintabletten ein, ohne dass ich deren genaue Wirkung beschreiben kann. Wissenschaftlich bestätigt ist jedenfalls, dass insbesondere ältere Personen nach Verletzungen oder in der Rekonvaleszenzphase von erhöhten Proteindosen profitieren. Das ist wohl ein weiterer wichtiger Hinweis darauf, dass man das Protein-Level unbedingt im Blickfeld halten muss.

Gemäss der bisher grössten europäischen Gesundheitsstudie – sie heisst «Do-Health» – wird durch die Kombination der täglichen Einnahme von Omega-3 und Vitamin D mit einem einfachen Krafttraining das Risiko von neuen Krebserkrankungen um 61 Prozent und von Gebrechlichkeit um 30 Prozent reduziert. Das sind klare Hinweise auf sinnvolles Verhalten.

Besonders oft thematisiert wird Omega-3. Die Altersforscherin Heike Bischoff-Ferrari empfiehlt eine tägliche Einnahme. Dr. Heinz Lüscher, der sich auf integrative Medizin spezialisiert hat, empfiehlt eine tägliche Dosis von 2000 mg bei älteren Menschen, dies als wichtiger Baustein gemäss der von ihm vertretenen Vitalstoffmedizin, die sich auf Mikronährstoffe stützt.

Für Kaffee gibt es seit einiger Zeit tolle wissenschaftliche Nachrichten. In mehreren Studien wurde eruiert, dass Kaffee die Mortalität massiv senkt. Je mehr Kaffee getrunken wird – bis zu einem Maximum von vier Tassen am Tag –, desto länger lebt man, stellte man in einer UK-Biobank-Studie fest. Der positive Effekt zeigt sich vor allem bei den Herz-Kreislauf-Erkrankungen, wo der Kaffeekonsum die Mortalitätsrate um 22 Prozent vermindert. Renommierte Gesundheitsexperten empfehlen jedoch, erst 90 Minuten nach dem Aufwachen Kaffee zu trinken, da der Cortisolspiegel vorher noch zu hoch ist. Und nach 14 Uhr sollte man keinen Kaffee trinken, um Schlafprobleme zu vermeiden.

Und wie sollten wir mit Alkohol umgehen? Gemäss den jüngsten Forschungen, die weltweit unglaublich viel Publizität erhielten, wissen wir, dass jeder Konsum von Alkohol schädlich ist, und dies vom ersten Glas Bier oder Wein an. Diese ernüchternde Erkenntnis traf viele von uns unvorbereitet, weil sie früheren Informationen widersprach. Wirkt Alkohol zudem bei uns Älteren schädlicher als bei jungen Menschen? Die Antwort lautet klipp und klar: Leider ja! Und dies gilt sogar, wenn man nur gelegentlich einen Drink zu sich nimmt. Weil ältere Menschen meist weniger Muskelmasse haben und in ihren Gefässen weniger Wasser zurückhalten können als Jüngere, erhöht sich der Alkoholpegel bei ihnen schneller. Das heisst, Ältere sind früher betrunken und riskieren dadurch vermehrt Verletzungen durch Stürze. Und ihre Gedächtnisleistung geht schon bei tieferem Promillestand bereits bei kleinem Alkoholkonsum messbar zurück. Amerikanische Fachleute raten deshalb, dass ältere Personen nicht mehr als ein alkoholisches Getränk pro Tag zu sich nehmen sollten. Sara Jo Nixon, Professorin für Psychiatrie an der University of Florida, fasst dies wie folgt zusammen. «Es muss nicht Abstinenz sein. Aber ein gesundes Alter wird bei den meisten Leuten verhindert, wenn sie am Tag mehrere Drinks nehmen.»

Nächster Halt 100?

Und was kommt nun auf uns zu? Was in den nächsten Jahren? Das ist die Frage, die viele von uns wohl am stärksten umtreibt. Worauf müssen wir uns vorbereiten? Und wie lange werden wir leben?

Neue Forschungen belegen, dass dies weitestgehend von uns und unserem Lebensstil abhängt. Die uns mitgegebenen Gene spielen über weite Strecken unseres Lebens eine untergeordnete Rolle. Doch je älter man wird, desto grösser wird ihre Bedeutung, wie Dr. Thomas Perls von der Boston University in einem Artikel in der «New York Times» erläuterte. «Wenn man die richtigen Gene hat, die die Lebenszeit mitbestimmen, so ist das wie ein Lotteriegewinn», erklärt er weiter. «Aber selbst wenn deine Mutter es bis ins Alter von 100 geschafft hat, solltest du trotzdem eine sinnvolle Lebensführung befolgen, dies auch für den Fall, dass du den Gen-Jackpot doch nicht gewonnen hast», fügte er hinzu.

Die Super-Ager sind extrovertierter als der Durchschnitt der Bevölkerung, wie wir im Kapitel «Super-Ager» erfahren haben. Und wer extrovertiert ist, ist tendenziell auch positiver, denn Griesgrame verbreiten nicht die Stimmung, die man in geselligem Umfeld einbringen sollte. Wer positiv ausgerichtet ist, tut also etwas Gutes für sich selbst, denn er verlängert gemäss mehreren Studien seine Lebenszeit um 11 bis 15 Prozent. Mit positivem Verhalten trainiert man einerseits sein Gehirn, weil man damit die kognitiven Fähigkeiten stärkt. Anderseits geht es um physische Übungen, die man unbedingt pflegen sollte. Optimal sind Aktivitäten, die beide Aspekte abdecken. Der renommierte Mediziner Dr. Peter Attia empfiehlt in einem Artikel in der «New York Times» zum Beispiel, häufig das Tanzbein zu schwingen, denn: «Tanzen erweist sich im Verlauf des Alterungsprozesses als anspruchsvolle physische und kognitive Tätigkeit.» Gleiches gelte auch für Gleichgewichtsübungen, wie man sie etwa bei Yoga und Pilates macht.

Der physische Aspekt ist also zentral. Es gibt mehrere körperliche Alterszeichen, von denen einige zumeist übersehen werden. Eines davon ist die Schrittlänge, was uns spätestens mit den qualvollen Fernsehbildern des schlurfenden und trippelnden Joe Biden bewusst geworden ist. Hier die Fakten: Junge Frauen zwischen 20 und 40 Jahren haben eine durchschnittliche Schrittlänge von 70 bis 80 cm, bei gleichaltrigen Männern liegt sie mit 80 bis 90 cm etwas höher. Bis ins Alter von 60 Jahren verändert sich die Schrittlänge bei beiden Geschlechtern nur leicht. Doch ab 65 Jahren erfolgt eine deutliche Abnahme. Sie beträgt bei Frauen bald nur noch 55 bis 65 cm und bei Männern 65 bis 75 cm. Das ist ein deutlicher Rückgang von bis zu 20 Prozent, welcher vor allem auf dem Verlust von Muskelkraft in den Beinen beruht. Zwar werden Sehnen und Bänder nicht kürzer, aber sie verlieren an Elastizität und Dehnbarkeit, wodurch die Schrittlänge zusätzlich eingeschränkt wird. Zudem verkürzen ältere Menschen ihre Schritte automatisch, um das Gleichgewicht besser halten zu können, das im Alter abnimmt. Deshalb gilt die Schrittlänge in der Geriatrie als ein Indikator für Gesundheit und Sturzrisiko.

Muskelkraft und Gleichgewichtssinn sollte man nicht ausser Acht lassen. Es gibt verschiedene motorische Übungen, die die Mobilität verbessern, ohne dass man das Gleichgewicht überfordert. Erfolgversprechend ist auch etwas anderes: Während meiner Marathonläufe ist mir nämlich aufgefallen, dass ich jeweils an Tempo einbüsste, wenn ich mit meinen Gedanken wegdriftete. Wer sich nicht aufs Laufen konzentriert, verkürzt die

Schrittlänge und verliert an Geschwindigkeit. Dasselbe geschieht, wenn man gedankenverloren durch die Strassen schlendert. Es ist deshalb sinnvoll, sich öfter auf die Schrittlänge zu konzentrieren. Damit beschleunigt man gleichzeitig die Gehgeschwindigkeit und verlangsamt den Alterungsprozess.

Der Körper beeinflusst unsere Befindlichkeit. So fühlen wir uns selbstbewusster, wenn wir eine aufrechte Haltung einnehmen, wie viele Studien belegen. Wir drücken unsere Gefühle nicht nur sprachlich aus, sondern auch über unsere Körperhaltung. Ein Lächeln verbessert unsere Stimmung. (Deshalb habe ich mir angewöhnt, am Morgen im Badezimmer als Erstes mir selbst zuzulächeln. Dieser simple Trick wirkt, versprochen!) Und natürlich verbessert die körperliche Bewegung, ob beim Sport, beim Tanz oder beim Yoga, die kognitive Leistungsfähigkeit und die emotionale Balance. Alles ist mit allem verbunden – und dies sollte uns bewusst sein, wenn wir unser eigenes Handeln unter die Lupe nehmen.

Wir sollten deshalb laufend unseren eigenen körperlichen Alterungsprozess überwachen. Das ist keineswegs eine banale Erkenntnis. Denn erstens sieht man sich kaum je von allen Seiten und kann sich beim Laufen, beim Aufstehen und bei allen anderen Bewegungen auch kaum beobachten. Und zweitens braucht es einiges an Überwindung, ehrlich auf die ersichtlichen Signale zu reagieren.

So war es Gabriella, die mich mehrmals auf eine nachlassende Körperhaltung aufmerksam machen musste. «Du kippst zusehends nach vorne», teilte sie mir zu meinem Erschrecken mit, «das macht dich älter.» Damit kitzelte sie meine Eitelkeit an der genau richtigen Stelle. Deshalb gehe ich seit einigen Jahren ins wöchentliche Pilates-Training, obwohl es mich tödlich langweilt. Ich stelle mich zähneknirschend dieser Tortur mit ihren äusserst seltsamen Körperverrenkungen, die mir eine geduldige Lehrerin jeweils vorgibt. Und ich gebe zu: Die Wirkung ist nicht zu übersehen, wie auch Gabriella bestätigt. Ich gehe heute aufrechter als zuvor. Ich bewege mich nicht nur leichtfüssiger, sondern fühle mich auch besser, obwohl ich in der Zwischenzeit um einiges älter geworden bin. Es stimmt eben selbst im Bereich der Physis, dass das Alter nichts für Feiglinge ist.

Eine gute Körperhaltung hat einen weiteren positiven Effekt: Er verlangsamt den Schrumpfprozess. Denn auch nach dem 80. Geburtstag werden wir weiterhin an Körpergrösse einbüssen. In einem Artikel in der «New York Times» weisen Experten darauf hin, dass es dabei um nicht unerhebliche zusätzliche 2 bis 5 cm geht, die wir in den kommenden Jahren verlieren werden.

Dieser Schrumpfprozess beginnt bereits erstaunlich früh, bei den meisten nämlich bereits im Alter von 40 Jahren. Bis 70 haben die Männer rund 2,5 cm an Körpergrösse eingebüsst, bei den Frauen sind es sogar 5 cm. Die Gründe dafür sind vielfältig: Mit zunehmendem Alter schrumpfen Knochen und Knorpel in unserem Rückgrat, was uns kleiner werden lässt. Wenn wir zusätzlich Bauchmuskeln und Muskeln in der unteren Rückengegend verlieren, wird es immer schwieriger, eine gerade Körperhaltung aufrechtzuerhalten. Damit verringert sich die Körpergrösse weiter. Diesen meist unerwünschten Prozess kann man vor allem mit gezieltem Krafttraining verlangsamen.

Und damit sind wir definitiv bei einem besonders wichtigen Thema. Denn leider wurde mir die überragende Bedeutung des Krafttrainings gegen den altersbedingten Muskelschwund erst viel zu spät bewusst. Die Muskelmasse nimmt nach dem 65. Lebensjahr rasant ab, noch stärker nach dem 75., weshalb man bis ins Alter von 80 Jahren unglaubliche acht Kilo Muskelmasse gegenüber dem früheren Muskeln-Höchststand verliert. Wer trainiert, der kann den Prozess nicht ganz aufhalten, aber den Verlust auf drei bis vier Kilo beschränken.

Ich biss auch dann nicht richtig an, als mir Werner Kieser, der das Krafttraining international zum Modetrend gemacht hat, die Wirkungsweise persönlich erklärte. Nach einigen Monaten wurden mir in seinen asketisch eingerichteten Folterstudios die vorgegebenen Übungen an den von ihm eigenhändig ausgetüftelten Geräten zu eintönig – und ich gab auf. Dies war ein Fehler. Ich hätte mich mehr überwinden müssen, wie ich heute weiss. Denn Krafttraining führt zu besserem Schlaf, zu einer dichteren Knochenstruktur und zu einer besseren Psyche. Und je älter man wird, desto wichtiger werden all diese Aspekte. Mehr Muskelmasse und stärkere Muskeln stützen und schützen den Körper; ausserdem erhalten sie die Stoffwechselgesundheit, weil die Muskeln Energie effizient verbrauchen, hält Peter Attia in seinem Buch fest. Dies gilt nicht nur für Männer, sondern vermehrt noch für Frauen, die wegen Östrogenmangel allzu oft an Osteoporose erkranken, was ihre Lebensqualität massgeblich beeinträchtigt.

In unserem Alter ist eben eine gehörige Portion Disziplin vonnöten, um den Verfallprozess zu verlangsamen. Und es ist nie zu spät, um mit dem Training mit Gewichten zu beginnen, zeigen Studien. Sport ist in jungen Jahren wichtig, im Alter wird er unerlässlich, lautet die Devise. Denn jetzt geht es um Grundsätzliches. Sport vermindert das Krebsrisiko, er ist ein Mittel gegen Depressionen und Diabetes und – ja – verschiebt die Mortalität in eine fernere Zukunft! Dr. Erich Topol bezeichnet Training als die «effizienteste medizinische Intervention, die wir kennen». Und er legt folgende Rechnung vor: Eine Minute intensives Training führt zu sieben oder acht Minuten längerem Leben, wobei Frauen noch mehr profitieren als Männer.

Bei konzentriertem, diszipliniertem Training können wir unsere Leistungswerte nicht nur halten, sondern sogar verbessern. Dies erlebe ich bei der Zahl von Liegestützen, die ich bei konsequentem Training schaffe. Gleiches gilt fürs Planking. Mit sinnvollen Übungen gegen den Muskelschwund verbessern wir nicht nur unser Wohlbefinden, sondern verringern auch die Gefahren gefährlicher Stürze, die bei älteren Menschen fatale Folgen haben können.

Die tägliche 10 000-Schritte-Vorgabe wurde schon vor Jahren als Marketing-Idee entzaubert. Doch die Grundidee dahinter ist richtig. Man sollte sich jedoch in weitere Gebiete vorwagen, die mehr Überwindung kosten als das blosse Abschreiten von einigen Kilometern im flachen Gelände. Um dort nicht frühzeitig zu kapitulieren, braucht es – ich wiederhole mich – Disziplin, viel Disziplin. Und diese sollten wir, die wir das Gefühl haben, in unserem langen Leben mehr als genug geleistet zu haben, wirklich aufbringen. Denn ohne Disziplin bei sportlichen Aktivitäten werden wir es nicht schaffen, die kommenden Jahre angenehm zu erleben und unsere Healthspan zu verlängern.

Als das Muskelpaket Werner Kieser mit nur 80 Jahren einem Herzleiden erlag, war dies wohl nicht nur für mich ein Schock. Ich hatte ihn öfter in unserem Zürcher Quartier Hottingen getroffen, ihn mehrfach interviewt und geglaubt, dass er uns alle überleben würde. Aber dann geschehen Dinge, die man auch bei mustergültigem Verhalten nicht kontrollieren kann. Neben den besten Genen und einer beispielhaften Lebenshaltung braucht es immer auch noch eine Portion Glück, dass man nicht plötzlich einer heimtückischen Krankheit zum Opfer fällt. Denn es gibt für niemanden eine Garantie für ein freudvolles Leben bis 100.

Ehrgeiz

«Ich muss niemandem mehr etwas beweisen», erklärte der mehrfache Weltfussballer Cristiano Ronaldo, als er sich im Juli 2018 bei seinem neuen Klub Juventus Turin vorstellte. Mit 33 Jahren war er in einem Alter, in dem sich selbst die grossartigsten Fussballkarrieren ihrem Ende zuneigen. Doch ganze fünf Jahre später unterschrieb er überraschenderweise bei Al-Nassr in Saudi-Arabien und verdient dort heute 275 Millionen Dollar – im Jahr. Damit beweist er sich und allen anderen, dass er sogar noch im Alter von 40 Jahren der höchstbesoldete Fussballspieler der Fussballgeschichte ist, was für den ehrgeizigen Portugiesen die ultimative Genugtuung sein muss.

Der ehemalige Schwergewichtsweltmeister Mike Tyson sagte nach einer Niederlage ebenfalls: «Ich muss niemandem mehr etwas beweisen.» Und die deutsche Schauspielerin Veronica Ferres veröffentlicht auf ihrer offiziellen Facebook-Seite die gleiche Einsicht: «Du musst niemandem etwas beweisen. Nicht der Welt, nicht deiner Vergangenheit, nicht einmal dir selbst. Du bist genug – genau so, wie du jetzt bist.» Aber stimmt das auch immer? Wie sind diese Aussagen zu deuten? Als höhere Einsicht? Als Zeichen von endlich erlangter Gelassenheit? Als Entschuldigung für Misserfolge? Oder als Beleg dafür, dass man sich vom früheren Ehrgeiz verabschiedet hat?

Aristoteles widmete sich diesem Thema schon im 4. Jahrhundert v. Chr. Für ihn war Ehrgeiz eine Tugend, wenn er sich nach Ehre, Würde und dem moralisch richtigen Handeln richtet. Zu viel Ehrgeiz führe hingegen zu Hybris, und damit meist ins Verderben. Deshalb sei Masshalten der goldene Mittelweg, befand der grosse griechische Philosoph. Bei Kant kann Ehrgeiz als Antrieb zu moralischem Handeln verstanden werden, wenn er nicht allein persönlichen Ambitionen dient, sondern mit Pflichtbewusstsein verbunden ist.

In der Psychologie ist Ehrgeiz eine Voraussetzung für die Leistungs- und Zielmotivation. Man setzt sich hohe Ziele und ist bereit, dafür hart und dauerhaft zu arbeiten. Ehrgeiz kann zur persönlichen Erfüllung beitragen, wobei es problematisch wird, wenn er zu Stress, Überforderung oder zu unethischem Verhalten führt. Dabei gibt es zwei unterschiedliche Motivationen: Einmal ist es der intrinsische Ehrgeiz, also die Freude am Tun. Und dann gibt es den extrinsischen Ehrgeiz, also die Suche nach Anerkennung, Macht und Status. Auch mich hat diese Frage während langer Zeit umgetrieben, eigentlich bis heute.

Wir alle waren in unserem bisherigen Leben in der einen oder anderen Form ehrgeizig. Dies hat es uns ermöglicht, gesteckte Ziele zu erreichen. Sollen wir nun alles anders angehen und uns von unseren früheren Verhaltensmustern altershalber verabschieden? Sollen wir nur noch passiv dahinleben, weil wir das nach einem langen Leben schlicht verdient haben? Jetzt nur noch geniessen – nichts anderes?

Das wäre ein fataler Fehler. Zwar können wir uns von karriereorientierten, extrinsischen Zielen verabschieden, wenn uns dies zupasskommt. Doch an intrinsischen und sinnstiftenden Zielen sollten wir unbedingt festhalten. Gemäss einer berühmten Studie von Richard M. Ryan und Edward L. Deci bleibt die eigene Motivation hoch, wenn die Aspekte Autonomie, Kompetenz und Eingebundenheit weiterhin erfüllt sind. Die Berliner Altersstudie (BASE) belegt, dass die viel zitierte Resilienz im Alter stabil bleibt oder sogar ansteigen kann, weil ältere Menschen mehr Erfahrung im Umgang mit Krisen haben. Wir haben viel Selbstbewusstsein und glauben auch weitere Schwierigkeiten bewältigen zu können, weil wir schon so vieles erlebt und überstanden haben. Die Berliner Altersstudie zeigt zudem, dass Zielorientierung und Zielfokus mit höherem Wohlbefinden und besserer Gesundheit korrelieren. Dies gilt vor allem dann, wenn die Ziele realistisch und an die Lebenssituation angepasst sind. Und Resilienz wirkt effektiv gegen kognitive und emotionale Einbussen. Hingegen kann übersteigerter Ehrgeiz – wenn man also um jeden Preis jung zu bleiben versucht – zu Frustration und psychischen Belastungen führen. Resiliente ältere Menschen berichten von höherer Lebenszufriedenheit, weniger Depressionen und besserer Anpassung an gesundheitliche Einschränkungen.

So sollten wir es halten. Wir müssen nicht wie früher anderen beweisen, zu was wir fähig sind. Das sollten wir uns abschminken. Aber uns selbst können wir durch unser resilientes Verhalten ein möglichst gutes weiteres Leben und den Erhalt der Healthspan verschaffen. Eine Vergleichsstudie in 25 europäischen Ländern belegt, dass die Resilienz von zwei Dingen abhängt: Einerseits ist es die soziale Unterstützung, die man sich verschafft oder zu der man uns verhilft. Anderseits ist es – absolut nicht überraschend – das eigene gesundheitsfördernde Verhalten, dem sich dieses Buch ausführlich widmet.

Resilienz und ein gesunder Ehrgeiz, der sich auch auf neue Ziele richten kann, sind also gerade für unsere Generation essenziell. Wir haben bisher alles anders gemacht als unsere Vorgänger. Wir sollten uns auch im neuen Lebensabschnitt nicht an tradierten Mustern orientieren. Wer sich weiterhin intensiv informiert, wird leichter auf Betätigungen und Interessenfelder stossen, die all diese erwähnten positiven Effekte auf unsere künftige Lebenszeit haben werden. Sie werden uns bereichern und beglücken.

Role Models

Mitte der 1960er Jahre wagte es Ralph Nader, ein bis dahin unbekannter amerikanischer Anwalt, General Motors, die damals mächtigste Automobilfirma der Welt, öffentlich anzugreifen, weil sie ihren Kunden keine sicheren Fahrzeuge verkaufte. Jahre später forderte Nader den Einbau von Airbags bei allen Autos und setzte sich nach jahrelangem Kampf auch mit diesem Anliegen durch. So wurde Ralph Nader zu meinem Role Model, meinem Vorbild, zu dem ich aufschaute. Später gelang es mir, Nader in Boston zu besuchen und ihn für einen Beitrag im Schweizer Fernsehen zu interviewen. Er war es auch, der mich zur Gründung des «Kassensturz» im Jahre 1974 inspirierte, der ersten TV-Konsumentensendung der Schweiz, die bis heute im Programm steht.

Wir alle richten uns an Vorbildern aus, aber nicht alle an den gleichen. Role Models sind in jeder Gesellschaft wichtig. Sie berühren und beeinflussen uns durch ihr Verhalten, ihre Einstellungen und ihre Leistungen. Vieles von dem, was sie machen, gilt für uns als nachahmenswert. Role Models berühren uns oft durch ihre Authentizität und ihre Geradlinigkeit. Sie verkörpern zumeist gesellschaftlich erwünschte Werte wie Fairness, Mut, Durchhaltevermögen, Empathie und Gerechtigkeit. Damit setzen sie Massstäbe dafür, was in einer Gesellschaft als erstrebenswert gilt und was nicht. In der Soziologie bezeichnet man eine Person als Role Model, die eine soziale Rolle idealtypisch ausübt. Sie zeigt uns, wie man sich in dieser Rolle verhalten sollte oder könnte. Damit können Role Models zu wichtigen Bausteinen für die persönliche Entwicklung und den gesellschaftlichen Fortschritt werden.

Wer sind nun unsere Role Models, wer sind die Menschen in unserer Generation, die diese Vorstellungen erfüllen? Überlegen Sie kurz: Welche Namen kommen Ihnen in den Sinn? In den USA, in Deutschland und in der Schweiz?

In den USA gelten die 71-jährige TV-Moderatorin Oprah Winfrey und die Schauspielerinnen Meryl Streep (76) und Shirley McLaine (91) wegen ihrer gesellschaftlichen Aktivitäten für viele als Role Models. Gleiches gilt für Robert de Niro (82), der sich auch heute noch pointiert zu politischen Fragen äussert, ebenso Bruce Springsteen (76), der sich dank seiner enormen Präsenz in viele gesellschaftliche Debatten einbringt. Morgan Freeman (88) engagiert sich seit Jahrzehnten für Bürgerrechte und gegen Rassismus. Anthony Hopkins (89) spricht offen über seine Autismus-Spektrum-Diagnose und wurde so zu einem Vorbild für Selbstakzeptanz, während sich Jane Fonda (87) seit Jahrzehnten für Feminismus und soziale Gerechtigkeit einsetzt. Und dann gibt es natürlich den 95 Jahre alten Clint Eastwood, der für seine beispiellose kreative Langlebigkeit bewundert wird. Role Models aus jüngeren Generationen gibt es in den USA ausser Taylor Swift und Beyoncé hingegen kaum.

John McCain war mit seiner ausserordentlichen Biografie eines von ganz wenigen politischen Role Models. McCain, der 2018 gestorben ist, kämpfte während des Vietnamkriegs in der US Navy und geriet in Kriegsgefangenschaft. Als Sohn eines US-Admirals bot man ihm eine vorzeitige Freilassung an, doch er verzichtete auf eine Vorzugsbehandlung und blieb fünf Jahre lang in einem brutal geführten nordvietnamesischen Gefangenenlager. Später ging er in die Politik und wurde Senator von Arizona, der sich oft auch über Parteilinien hinwegsetzte, wenn es um seine eigenen Prinzipien ging. Barack Obama war als erster schwarzer Präsident lange ein weltweites Role Model. Die heute 85-jährige Nancy Pelosi, die ehemalige Sprecherin des Repräsentantenhauses, wurde im linken Lager ein Role Model, so wie es lange Zeit auch Ruth Bader Ginsburg war, die bis zu ihrem Tod im Jahr 2000 im Supreme Court sass.

Viele Jahre später ging Ralph Nader in die Politik und kandidierte zweimal als Präsident, obwohl er völlig chancenlos war. Damit verhalf er George W. Bush im Jahr 2000 zum äusserst knappen Wahlsieg gegen Al Gore. Dies verzieh ich Ralph Nader nie. Mit seinem unsinnigen Egotrip zeigte er mir und vielen seiner früheren Fans sein wahres Gesicht. Und so wurde aus meinem Role Model eine Person, die ich seither für ihre fehlgeleiteten und kontraproduktiven Ambitionen verachte.

Ähnliches gilt für Ruth Bader Ginsburg. Weil sie sich trotz fortgeschrittener Krankheit an ihr Amt klammerte, ermöglichte sie es Donald Trump, nach ihrem Tod einen weiteren konservativen Richter in den politisch eminent wichtigen Supreme Court wählen zu lassen, was die Gewichte noch weiter zugunsten der republikanischen Partei verschob. Role Models können also irrationale Entscheide fällen, wenn ihre grossartigen kognitiven Fähigkeiten von egoistischen Motiven dominiert werden.

In Deutschland ist Udo Lindenberg das grösste Role Model der Musikbranche. Der heute 79-Jährige ist ein Vorbild für Generationen von jüngeren Musikern – für sein ziviles Engagement, seinen Pioniergeist und seine weiterhin aktive Tätigkeit. Auch die in diesem Buch vielzitierte Elke Heidenreich ist eine Ikone, weil sie Millionen von TV-Zuschauern bereits seit Jahrzehnten die Liebe zu Büchern vermittelt. Als Schauspielerin engagiert sich Iris Berben seit Jahrzehnten für gesellschaftliche Anliegen. Joschka Fischer war für Leute im linken Lager mit seiner aussergewöhnlichen Lebensgeschichte während langer Zeit ein Role Model, doch er hat sich bereits im Jahr 2005 mit nur 57 Jahren aus der Politik und aus der Öffentlichkeit verabschiedet. Angela Merkel war ebenfalls lange ein Role Model – bis sie es nicht mehr war. Sie strahlte kaum Charisma aus, was eine unerlässliche Eigenschaft ist, um zu einem echten Role Model zu werden. In der aktuellen deutschen Politlandschaft fehlen Role Models leider vollständig, sind sich Medien und Staatsbürger einig.

Ähnlich sieht es zum Wehklagen weiter Kreise auch in der Schweiz aus. Role Models finden sich allein im Sport, etwa der absolute Überflieger Roger Federer und Marco Odermatt, der mehrfache Weltcup- und Olympiasieger im Skisport. Letzterer übernimmt damit eine Position, die sein Vorvorgänger, der ewige Sonnyboy Bernhard Russi, jahrzehntelang innehatte. In der Schweizer Literatur kam nach Frisch und Dürrenmatt niemand, der oder die ihre frühere Vorbildfunktion übernehmen konnte. Auch im Showbusiness und in Kunst und Medien fehlen in der Schweiz die alles überstrahlenden Role Models.

Deshalb stellt sich die Frage: Ist unsere Zeit mit ihrer atomisierten Medienlandschaft und der ständig grösser werdenden Bedeutung der chaotischen sozialen Medien eine Vernichtungsmaschine für Role Models, weil sich solche in diesem Umfeld gar nicht richtig profilieren können? Müssen also wir, und besonders auch die uns nachfolgenden Generationen, ohne gesellschaftlich wichtige Role Models auskommen, die bisher eine eminent wichtige Funktion erfüllten? Die Frage zu stellen, ist beinahe, sie auch zu beantworten.

Es kommt also vermehrt auf jeden und jede von uns an, dass wir in unseren eigenen Kreisen die Position eines Role Models einnehmen. Dass wir Vorbild sind für Menschen, die uns begleiten und die bei uns Role-Model-Funktionen wie Fairness, Mut, Durchhaltevermögen, Empathie und

Gerechtigkeit erleben und erlernen sollen. Wenn wir dies erreichen, dann haben wir mit Sicherheit etwas ganz Wichtiges richtig gemacht.

Aufhören!

Seit langem freute ich mich auf diesen Abend. Bob Dylan war seit je einer meiner grössten Idole. Sein Auftritt beim Montreux Jazz Festival, den ich im Jahr 1994 live erleben durfte, war ein unvergessliches Erlebnis gewesen. Und nun hatte ich Tickets für ein Konzert im Zürcher Hallenstadion ergattert, die im Nu ausverkauft waren. Fans aus allen Altersklassen wollten diesen Auftritt unter keinen Umständen verpassen.

Es wurde ein Desaster, und dies von der ersten Minute an. Bob schien seine immer schon spezielle Stimme völlig verloren zu haben. Nur ein Schreien und Krächzen kam aus seinem Mund, und es wurde laufend schlimmer. Das Publikum war zuerst irritiert, dann zusehends verärgert. Und bald hielten viele diese überlaute, schmerzhafte Kakophonie nicht mehr aus. Die Ränge leerten sich zusehends. In den Eingangshallen tauschten sich viele über das Unerhörte aus, das sie soeben erleben mussten.

Peinlich! Furchtbar! Schrecklich! Alle waren verstört. Man fragte, ob es denn niemanden gebe, der dem heiligen Bob die Wahrheit sagen könne, dass er in diesem Zustand doch nicht auftreten dürfe. Und wie sei es möglich, dass er dies nicht selbst realisiere? Oder glaubte er, die lebenslange Legende, dass er sich auf seiner «Never Ending Tour» wirklich alles leisten könne?

Nichts ist schwieriger, als den richtigen Zeitpunkt zu treffen, an dem man abtreten sollte. Tina Turner war quicklebendig, als sie als Gast in meine TV-Sendung kam. Anschliessend lud sie uns zu einem Essen in ihrem Haus direkt am Zürichsee ein. Als Allererstes mahnte sie mich, auf keinen Fall das Thema Ike aufzugreifen. Doch nach drei Gläsern Champagner redete sie den ganzen restlichen Abend über nichts anderes. Als sie im Jahr 2009 ihre Abschiedstournee absolvierte, erklärte sie mir, sie sei nun definitiv zu alt, um in ihren kurzen Röckchen vor Publikum aufzutreten. Diese Zeit sei endgültig vorbei, es gäbe kein Zurück. Und daran hielt sie sich. Und sie bekräftigte dies mit ihrem Leitsatz: «Tina gets what Tina wants».

Der grosse amerikanische Autor Philip Roth begründete im Alter von 77 Jahren seinen Entscheid, kein weiteres Buch zu schreiben, in einem Interview so: «Ich habe keine Lust mehr, Fiktion zu schreiben. Ich habe getan, was ich getan habe, und es ist vorbei. Es gibt mehr im Leben als das Schreiben und Veröffentlichen von Fiktion. Es gibt einen ganz anderen Weg, den ich in diesem späten Alter mit Erstaunen entdecke.» Ein Freund von Roth erklärte in der englischen Zeitung «The Telegraph» hingegen, dass der wahre Grund für seinen Rückzug gesundheitlicher Natur war. Er habe im Laufe der Jahre zahlreiche Rückenoperationen durchgemacht und an ernsthaften Herzbeschwerden gelitten. Solche gesundheitlichen Rückschläge hätten es ihm zunehmend erschwert, sich auf das Schreiben zu konzentrieren. Roths Entschluss, mit dem Schreiben aufzuhören, hatte also sowohl künstlerische Überlegungen als auch gesundheitliche Gründe. Es ging einfach nicht mehr anders.

Ich erinnere mich an mein journalistisches Vorbild Heiner Gautschy, dessen sonore Stimme mich seit frühesten Jugendtagen begleitet hatte, als er uns aus seinem New Yorker Studio die grosse, weite Welt erklärte. In späteren Jahren trafen wir uns im Schweizer Fernsehen, wo er lange Interviewsendungen moderierte, was ihm zunehmend schwerfiel, da sein Gedächtnis spürbar nachliess. Dies wurde besonders deutlich, als er den Schweizer Dichter Hugo Loetscher befragen sollte. Schon bereits bei der Vorstellung kam der grosse Fernsehmann ins Stottern, weil er den Namen schlicht vergessen hatte. «Mein heutiger Gast ist …» Grosse Pause! Höchststrafe! Erst nachdem man ihm per Kopfhörer den Namen eingeflüstert hatte, konnte er seinen Gast vorstellen. Nach dieser öffentlichen Blamage verkrampfte er sich weiter, was sein Stresslevel ins Unermessliche steigerte.

Dasselbe widerfuhr Joe Biden bei seinem desaströsen Fernsehduell mit Donald Trump. Bereits im Vorfeld hatte er mehrere Ausfälle und Namensverwechslungen produziert. Dies verstärkte den Druck in einer entscheidenden Situation des Wahlkampfs. Als er sich gleich zu Beginn mehrmals verhedderte, hing er gedanklich seinen Fehlern nach, verlor damit seine Konzentration vollständig und machte damit alles verheerender.

Wir alle haben diesen schockierenden Fernseh-Event noch vor Augen. Gepusht von seiner Frau Jill und der langjährigen Entourage wurden Joe Biden und mit ihm ein ganzes Land innerhalb von nur einer Stunde ins Unglück gestürzt. Erst im Nachhinein erfuhr man im Buch «Original Sin» von Jake Tapper und Alex Thomson, mit welchen Tricks und Machenschaften verhindert wurde, dass die Öffentlichkeit die Wahrheit über den psychischen und körperlichen Verfall ihres Präsidenten und Präsidentschaftskandidaten erfahren konnte. Joe Biden klammerte sich weiter an ein Amt, das er nicht mehr führen konnte, und erklärte, dass sein Job als Präsident noch nicht beendet sei. Das Killerargument – ich bin unersetzlich und muss deshalb unbedingt weitermachen! – wird nur allzu oft ins Spiel gebracht. Vor allem bei Menschen, die lange in der Öffentlichkeit gestanden haben, geht es um die Angst vor der Bedeutungslosigkeit. Betroffen sind Menschen aus allen Bereichen, nicht nur aus dem Showbusiness und der Kulturwelt, sondern ebenso aus Politik und Wirtschaft. Ein Leben abseits des Rampenlichts erscheint vielen von ihnen als wertlos.

Aber irgendwann muss Schluss sein. Die Forschung zeigt auf, dass das Gehirn älterer Menschen langsamer arbeitet als bei den Jungen. Die Reaktionszeit verlängert sich mit zunehmendem Alter und man benötigt mehr Zeit zur Problemlösung. Auch der Gedächtnisabruf ist langsamer, und die dafür notwendige Konzentration kostet mehr Energie, weshalb man schneller müde wird. All dies ist normal und sollte kein Grund zur Sorge sein, wenn man auf die natürlichen Veränderungen Rücksicht nimmt.

Aber tun wir das? Tue ich das? Ich erkenne

bei mir tatsächlich erste Gedächtnisschwächen. Es sind vor allem Vornamen, die mir zur eigenen Verblüffung nicht immer sofort einfallen. Wird es bald schlimmer? Und wie ist es, wenn sich das Blackout während einer Live-Sendung ereignet? Muss ich deshalb jetzt beruflich das Handtuch werfen, um nicht in dieselben Fallen wie Heiner Gautschy, Joe Biden und viele andere zu geraten? Die Antwort, die ich mir selbst gebe, lautet: Wenn ich Daten und Namen mehrfach nicht sofort abrufen kann, dann ist Schluss. Grössere Aussetzer möchte ich weder mir noch meinem Publikum zumuten. Bis dahin betreibe ich in Sendungen weiterhin mein öffentliches Gehirn-Jogging, bei dem ich meine Konzentrationsfähigkeit in sinnvoller und lustvoller Weise trainiere.

Mut machen mir dabei einige amerikanische Journalisten. Der grosse Mike Wallace moderierte bei CBS bis ins Alter von 87 Jahren die Topsendung «60 Minutes». Die unvergleichliche Barbara Walters war bis 84 auf Sendung. Wolf Blitzer, der renommierte Nachrichtenmann bei CNN, ist 76 Jahre alt. In Amerika – dem Mutterland des Fernsehens – steht eben, im Gegensatz zu unseren Längengraden, nicht das Alter im Zentrum, sondern die Präsenz, die Prominenz und die Leistung.

Wie mir Freunde berichten, liefert Bob Dylan inzwischen hie und da auch wieder tolle Konzerte ab. Seine unvergleichliche Reputation ist eben unzerstörbar. Einen solchen Bonus haben nur Leute mit Heiligenschein. Wir gewöhnlich Sterbliche sollten deshalb rechtzeitig erkennen, wann es Zeit ist, in Würde abzutreten.

Ich werde nicht mehr gebraucht

Wolfgang Grupp, der elegant gekleidete, stets gebräunte und gutaussehende Chef der bekannten Textilfirma Trigema, schockierte die deutsche Öffentlichkeit im Juli 2025 mit der Nachricht über seinen Suizidversuch, den er mit einer Schusswaffe unternommen hatte. In einem Schreiben erklärte er sein Handeln so: «Ich bin im 84. Lebensjahr und leide an sogenannten Altersdepressionen. Ich habe deswegen auch versucht, mein Leben zu beenden.» Er habe sich Gedanken gemacht, ob er überhaupt noch gebraucht werde.

Grupp, der oft in TV-Talkshows und Interviews aufgetreten ist, hatte im Vorjahr den Vorsitz des Unternehmens an seinen Sohn Wolfgang und seine Tochter Bonita abgegeben. Trotzdem ging er noch jeden Tag ins Büro und sass dort weiterhin an seinem Schreibtisch, wo er jedoch keine Entscheide mehr treffen konnte. Obwohl er diese Situation selbst eingeleitet hatte, kam er nach einer 54-jährigen Tätigkeit als Geschäftsführer und Inhaber mit dieser Situation nicht zurecht.

Thomas Gottschalk war über Jahrzehnte eine absolute Ausnahmeerscheinung im deutschen Fernsehen. Der charmante, schlagfertige und permanent strahlende Moderator segelte mühelos durch jede Sendung, weil er sich vor der TV-Kamera ebenso natürlich verhielt wie im privaten Umgang, wie ich es oft bei ihm erlebte. Alles war echt, nichts war gespielt. Dies war sein unschlagbares Rezept. Doch irgendwann riss der Faden. Was ihm blieb, waren Auftritte in schrillen Shows, in denen er zum Gaudi des Publikums Aufgaben zu bewältigen hatte, wie man sie von Kindergeburtstagen her kennt. Dies führte zu Szenen, in denen Gottschalk nicht verbergen konnte, wie peinlich dies alles für einen Herrn in seinem Alter war. Und für das Publikum war es manchmal das pure Fremdschämen.

Kurz vor seinem 75. Geburtstag verlor Thomas Gottschalk seinen Humor. Schlecht gelaunt liess er sich so zitieren: «In meinem Alter muss man nicht mehr ‹cool› sein.» Und erklärte weiter: «Ein Unterhalter war ich mein Leben lang – ein Mensch meines Alters sollte irgendwann mal mit der Wirklichkeit rausrücken.» Damit rügte er sowohl sich als auch die Fernsehproduzenten und sein Publikum, die ihm einen altersgerechten Rollenwechsel nicht zugestanden. In einem «Bild»-Interview formulierte Gottschalk seine Betroffenheit: «Ich muss in meinem Alter niemandem mehr nach dem Munde reden, und es nervt mich, dass mich jeder als ‹jemand, der aus der Zeit gefallen ist› bezeichnen darf.» Dies klang noch nicht nach einer veritablen Altersdepression. Aber es war der Ausdruck einer gehörigen Portion Altersfrust und der Beleg dafür, dass sich diese lebenslange Frohnatur ein ganz anderes Ende seiner grossartigen Karriere erhofft hatte. Denn nicht mehr erwünscht oder gar gebraucht zu werden, ist eine Erkenntnis, die zu verheerenden Folgen führen kann.

Uns allen steht irgendwann das Abgleiten in die Bedeutungslosigkeit bevor. Die Tage, in denen man genüsslich im permanenten Applaus des eigenen Umfelds baden kann, werden einmal zu Ende gehen. Wer damit nicht umzugehen weiss, der endet in einer schmerzlichen Altersdepression. Das Schlimmste daran ist, dass niemand von uns mit Sicherheit weiss, ob er dieser heimtückischen Entwicklung entgehen kann. Auch ich nicht.

Eine Altersdepression ist eine Depression, die im höheren Lebensalter auftritt. Ihre Symptome werden oft deshalb übersehen, weil man Traurigkeit, Antriebslosigkeit oder den Rückzug von früheren Kontakten irrtümlicherweise allein «dem Alter» zuschreibt. Hinzu kommen der Verlust von Freude und Interesse, vielfach auch Schlaf- und Appetitlosigkeit sowie Gedächtnisschwäche und Hoffnungslosigkeit bis hin zu Suizidgedanken.

Solche Ängste treiben viele schon in ganz jungen Jahren um. So schrieb Paul McCartney seinen Song «When I'm sixty four» bereits im Alter von 16 Jahren und fragte im Refrain: «Will you still need me, will you still feed me when I'm sixty four?» Veröffentlicht wurde der Song, als McCartney 24 war.

Die Gründe für Altersdepressionen sind vielfältig. Einerseits sind es chronische Krankheiten und Nebenwirkungen von Medikamenten. Anderseits sind es psychologische Faktoren wie Einsamkeit, der Verlust geliebter Menschen sowie fehlende Aufgaben nach dem Renteneintritt. Wenn man etwa bei Hörproblemen vor dem 70. Altersjahr kein Hörgerät benutzt, erhöht man sein Demenzrisiko massiv, wie eine kürzliche Studie im Fachjournal «Jama Neurology» belegt. Wer in früheren Jahren zu Depressionen neigte, der hat ein erhöhtes Risiko. Und dann gibt es genetische Faktoren. Gegen Altersdepression angehen kann man mit Psychotherapie und mit Antidepressiva. Zudem sollte man den Alltag und den Lebensstil verändern, indem man alte Kontakte wieder aufnimmt, sinnvolle Aufgaben wie Hobbys pflegt oder Weiterbildungskurse belegt.

In der Praxis ist dies alles leider extrem schwierig. Ich habe dies in meinem engsten Umfeld erlebt. Mein Vater kämpfte wohl sein ganzes Leben lang gegen eine drohende Depression, der er jedoch keinen Platz gewähren wollte. Er wandte sich deshalb schon früh der von Dr. Emile Coué begründeten Autosuggestions-Lehre zu. Bald schon hielt er zu diesem Thema öffentliche Vorträge und wurde sogar Präsident der Coué-Vereinigung. Der Wahlspruch «Es geht mir mit jedem Tag in jeder Hinsicht immer besser und besser», den man täglich mantramässig und mit fester Stimme wiederholen sollte, war der Soundtrack meiner Kinder- und Jugendjahre. Und wirklich: Mein Vater trat immer als über alle Massen fröhlicher Mensch auf, der unsere bescheidene 3-Zimmer-Wohnung meist lautstark singend mit dem Lied «Dies ist der schönste Tag in meinem Leben» betrat. Doch als er auf Wunsch meiner Mutter mit ihr ins Altersheim ziehen musste, und besonders nach ihrem Tod, versank er immer tiefer in einer Altersdepression, aus der wir ihn trotz all unseren

Bemühungen nicht herausholen konnten. Als er Lea, unsere soeben geborene Tochter, erstmals im Arm hielt, sagte er zu Gabriella und mir: «Ich weiss, ich sollte mich jetzt freuen. Aber ich spüre einfach nichts, gar nichts.» Die Traurigkeit in seiner Stimme, als er dies sagte, verfolgt mich bis heute.

Bei Leuten, die sehr lange in der Öffentlichkeit tätig waren und dort viel Zuwendung erhalten haben, sind die Gefühlsamplituden besonders gross, wie die oben aufgeführten Beispiele belegen. Wie schon die alten Römer wussten, ist bei ihnen die Gefahr von Entzugserscheinungen und Fehlentwicklungen extrem gross. Wenn ein Feldherr nach einem herausragenden Sieg auf seinem Wagen als Triumphator in Rom einzog, stand jeweils ein Sklave hinter ihm und flüsterte ihm ins Ohr: Memento mori – bedenke, dass du kein Gott bist, sondern ein sterblicher Mensch.

Solche Zurufe wären auch heute oft notwendig. Denn wer auf dem Gipfel des Erfolgs steht, sollte sich ernsthaft auf die Zeit danach vorbereiten, wie ich mir selbst immer wieder zuflüstere. Und ich hoffe, dass ich mich dabei auch höre.

Geiz

Als ich mein Medienunternehmen im Alter von 56 Jahren für einen höheren zweistelligen Millionenbetrag verkauft hatte, atmete ich erleichtert auf. Nun war ich komplett frei. Ich hatte nun so viel Geld, dass ich mich von nun an nie mehr mit diesem Thema befassen musste. – So dachte ich, aber es war ein gewaltiger Irrtum. Denn Geld ist immer von Bedeutung, ob man keines, viel oder gar zu viel davon hat.

Im Verlauf des Lebens verändert sich die Bedeutung von Geld. Im frühen Erwachsenenalter ist Geld ein Mittel zum Erreichen der erstmaligen Unabhängigkeit. In der mittleren Lebensphase ist Geld entscheidend für das Erreichen von Stabilität und Sicherheit. Im späteren Erwachsenenalter ist Geld die direkte Basis für Vorsorge und Lebensqualität. Und im Alter ist Geld eine Sicherheitsressource für Pflege und medizinische Versorgung und für die Unterstützung von Angehörigen.

Die Existenzängste nehmen im Alter oft zu, weil man weiss, dass man grosse materielle Rückschläge kaum mehr kompensieren könnte. Diese Verlustaversion manifestiert sich, indem Verluste viel stärker empfunden werden als Gewinne. Dieser Effekt ist eine Kernidee der «Prospect Theory» von Daniel Kahnemann und Amos Tversky, für die Kahnemann 2002 den Wirtschaftsnobelpreis bekam.

Wenn man älter ist, sollte man sich weniger als in früheren Jahren auf finanzielle Eskapaden einlassen, sich also niemals von grandiosen Versprechungen über wundersame Geldvermehrungskonstrukte einlullen lassen. «Geld ist flüchtig», belehrte mich ein Banker, und er hatte recht damit. Man sollte sich deshalb mit sicheren Werten gegen permanent drohende Börsenkapriolen absichern.

Schopenhauer bemerkte: «Armut im Alter ist ein grosses Unglück.» Das gilt teilweise bis heute, weil man kaum mehr die Möglichkeit hat, mit eigenen Kräften aus einer finanziellen Misere hinauszufinden. Deshalb war es besonders wichtig, dass das soziale Netz in unseren Ländern laufend ausgebaut und die immer noch bestehende Altersarmut eingedämmt wurde.

Die Statistiken sind eindeutig. Nur 3 Prozent der Schweizer Pensionierten-Haushalte sind verschuldet. Dafür haben am anderen Ende der Skala 14 Prozent von ihnen ein Bruttovermögen von über einer Million. Erstaunlicherweise steigt das

Medianvermögen nach der Pensionierung bis zum hohen Alter von 90 Jahren immer weiter an. Ähnliche Zahlen gelten für Deutschland, wobei dort die absoluten Vermögenswerte viel tiefer liegen als in der Schweiz. Der Medianwert zeigt die Mitte an, das heisst, dass die eine Hälfte der Gruppe unter und die andere über diesem Wert liegt.

Auch die Zufriedenheit erreicht in der höheren Altersgruppe Spitzenwerte. Gemäss einer Umfrage des BAH-Gesundheitsmonitor sind die Deutschen über 70 Jahre die zufriedensten. Die Autoren einer Leibniz-Studie weisen jedoch darauf hin, dass die Zufriedenheit nicht nur vom Alter, sondern von vielen weiteren Faktoren abhängig ist, wie etwa dem Bildungsgrad, der finanziellen Situation, der Gesundheitsversorgung und dem Rentensystem. Welche Faktoren wie zu gewichten sind, beantwortet die Studie nicht. Vieles deutet darauf hin, dass neben den externen Faktoren die intrinsischen Werte entscheidend sind. Dies heisst, wir müssen alle selbst den entscheidenden Beitrag leisten, damit wir in den späten Jahren zufrieden leben werden. Es kommt auf uns an, unser Denken und unser Handeln. Damit das noch lange so bleibt, müssen wir weit über die 80 Jahre hinaus unseren Beitrag leisten.

Im Alter erfährt man, dass die Kontrolle über zentrale Bereiche des Lebens zusehends entgleitet. Aus diesem Grund sollte man besonderen Wert darauflegen, sich mit verfügbaren Finanzen abzusichern. Aber dieser Ansatz kann auch zu einer übersteigerten Form des Sparens führen, die weder den objektiven Bedürfnissen noch den vorhandenen Mitteln entspricht. Es besteht das Risiko, dem Altersgeiz zu verfallen.

Der Altersgeiz war schon früh ein beliebtes Thema in der Literatur. Der gealterte Reiche, der sein Vermögen hortet, obwohl er es nicht mehr geniessen kann, ist seit Horaz ein wiederkehrendes Motiv. Lessing nutzte etwa in «Minna von Barnhelm» ältere Geizfiguren, um gesellschaftliche Missstände zu kritisieren, ebenso Molière in «Der Geizige». Ebenezer Scrooge in Charles Dickens' «A Christmas Carol» ist das berühmteste Beispiel des altersgeizigen, verhärteten alten Mannes, der erst durch eine nachhaltige Läuterung zum Wohltäter wird. Grillparzer und Nestroy persiflierten den Altersgeiz in ihren Komödien, und Thomas Mann beschrieb den Altersgeiz in den «Buddenbrooks» als Folge der Besitzfixierung der alten Generation. In allen Fällen wird Altersgeiz als Laster dargestellt, das überwunden werden muss.

Aus psychologischer Sicht ist Altersgeiz weniger Geiz, sondern die Kompensation von Angst, Kontrollverlust und dem Verlust der sozialen Rolle. Sigmund Freud bezeichnet Geiz als Teil der analen, frühkindlichen Charakterstruktur. Altersgeiz sei eine neurotische Regression ins «Anale», weil man sich als letzte Form der Selbstbeherrschung an Besitz klammert. In Erik Eriksons Stufenmodell ist Altersgeiz eine Form von Verzweiflung. Statt loszulassen, zu teilen, zu geniessen und an Jüngere zu übergeben, klammert man sich an Besitz, um nicht mit der Leere und der eigenen Endlichkeit konfrontiert zu werden. Viele ältere Menschen vernachlässigen auch ihr Äusseres, tragen längst ausgetragene, beschädigte Kleidung, weil sie sich nichts Neues mehr für sich leisten wollen, und wirken damit ungepflegt und manchmal sogar bemitleidenswert.

Altersgeiz führt nicht nur zur Einschränkung der eigenen Lebensqualität, wenn man sich viel weniger gönnt, als man könnte. Er löst auch Konflikte mit Angehörigen aus, die dieses Verhalten als nicht angemessen erleben, weil sie Vermögen horten, das die jüngere Generation dringender brauchen könnte. Deshalb hat Altersgeiz nicht zu unterschätzende negative gesellschaftliche Folgen. So sind Schweizer Erben beim Vermögensempfang durchschnittlich 60 Jahre alt. Sie erben also zu einem Zeitpunkt, an dem sie ihre wichtigsten materiellen Herausforderungen bereits bewältigt haben. In Deutschland liegt dieser Zeitpunkt mit 55 Jahren etwas tiefer. Doch auch hier kommt es zu einer extremen Konzentration der Vermögen in der Generation der Rentner. Vererbt wird wegen der zunehmenden Lebenserwartung immer später. Gemäss einer Sotomo-Umfrage planen aber nur 17 Prozent ein frühzeitiges Übergeben von Vermögen. Wenn man ganz sichergehen will, dass das Geld bis zum Lebensende reichen wird, behält man es eben bis zum Schluss in der eigenen Tasche. Dieses angstgetriebene Verhalten führt zu massiven Nachteilen für die nachfolgende Generation. Grosszügiger und gesellschaftlich vorteilhafter wäre es, die längst erwachsenen Kinder mittels Vorerbe-Regelungen bereits in einem früheren Stadium zu bedienen, damit sie das so erhaltene Geld dann einsetzen können, wenn sie es am dringlichsten für konkrete Vorhaben benötigen, und das nicht erst nach dem 60. Geburtstag. Ich jedenfalls halte es so. Es ist mir ein Anliegen, meinen Kindern im Rahmen meiner Möglichkeiten zu helfen, ihre Träume zu verwirklichen. Umsetzen müssen sie sie dann aber selbst.

Heute leben wir nach all den Jahren der Glückseligkeit wieder in unsicheren Zeiten. Die Medien sind voller Prognosen über die Wahrscheinlichkeit von Krieg, dessen Folgen auch uns in Mitteleuropa in Mitleidenschaft ziehen könnten. Dann wäre nicht nur unser so grosszügig ausgebautes soziales Netz gefährdet, sondern möglicherweise auch unser eigenes materielles Polster. Ist es heute also nicht sinnvoll, sich zusätzlich abzusichern, um in den letzten Lebensjahren nicht in eine finanzielle Notlage zu geraten? Und ist deshalb ein gewisser Altersgeiz sinnvoll oder gar notwendig?

Ich halte dagegen. Die aufgeführten negativen Folgen von Altersgeiz sind nicht zu unterschätzen. Auch im aktuellen politischen Umfeld sind panische Reaktionen nicht angebracht. Dagegen hilft etwa eine realistische Finanzplanung mit einer bewussten Diversifikation der Risiken, über die man auch die unmittelbar betroffenen Personen im direkten Umfeld ausführlich informiert. Denn wer in einer Partnerschaft nicht über die realen Verhältnisse informiert ist, der erlebt oft existenzielle Ängste. Dies habe ich in meinem Umfeld einmal erleben müssen.

Angst führt zu Geiz, der die Lebensqualität massiv verschlechtert, weil man in jeder Genusssituation ein schlechtes Gewissen hat. Geld sollte immer auch als Mittel für eine bessere Lebensqualität und nicht allein als Sicherheit gesehen werden. Und dies gilt insbesondere auch in dem Alter, auf das wir alle zusteuern.

Dolce far niente

Der Vertreterberuf war für meinen Vater die einzige Möglichkeit, unsere Familie zu ernähren. Als er das offizielle Pensionsalter erreichte, ging er sofort in den Ruhestand. Doch Jahre später sagte er zu mir: «Höre nie auf zu arbeiten. Mach weiter, solange du kannst.»

Sehr lange wurde das süsse Nichtstun verklärt. Mit der Pension würde das wahre Leben beginnen, träumten die Leute. Damals, als die Arbeit noch vorwiegend unter hartem körperlichem Einsatz verrichtet werden musste, sehnte man sich nach dieser Zeit der Musse. Doch das Umfeld änderte sich im Verlauf der letzten Jahrhunderte grundlegend. Unsere Gesellschaften entwickelten sich zuerst von der Agrar- zur Industriewirtschaft und transformierten sich in den letzten Jahrzehnten in eine Dienstleistungsgesellschaft. Diese neuen Bedingungen haben es den meisten von uns Boomern ermöglicht, berufliche Tätigkeiten auszuüben, die uns nicht bereits in frühen Jahren physisch auslaugten. Der verbesserte Gesundheitszustand der Boomer ist also auch eine Folge dieser gesamtgesellschaftlichen Veränderungen. Und die laufend höhere Lebenserwartung und die längere gesunde Lebenszeit liefern zusätzlich neue Chancen, weit über das übliche Rentenalter hinaus Tätigkeiten auszuüben, die das Leben in vielfältiger Weise bereichern.

Es gibt viele Gründe für eine weitere berufliche Tätigkeit nach dem Eintritt ins Rentenalter. Für die einen ist es vor allem der finanzielle Zwang, sie müssen die Altersvorsorge ergänzen. Andere wollen mit einer weiteren Berufstätigkeit die Struktur im Tagesablauf erhalten. Wieder andere schätzen vor allem die sozialen Kontakte im Arbeitsumfeld, die die im Alter besonders wichtigen kognitiven Aktivitäten stimulieren. Oft ist die langjährige Leidenschaft für den eigenen Beruf das ausschlaggebende Kriterium. Das wohltuende Gefühl, weiterhin gebraucht zu werden, verleiht dem Leben einen intrinsischen Sinn. Zumeist ist es also eine Kombination verschiedenster Gründe, die zu einer Fortsetzung der beruflichen Tätigkeit führen. Erwartet wird meist ein positiver Effekt auf das allgemeine Wohlbefinden.

Künstler kennen keine Altersguillotine. Pablo Picasso, Henri Matisse und Johnny Cash gingen nie in Rente. Mick Jagger hetzt mit 82 Jahren weiterhin scheinbar mühelos über riesige Bühnen, Sophia Loren stellte sich immer noch vor Filmkameras. Armin Müller-Stahl nahm bis ins Alter von 85 Jahren grosse Filmrollen an. Erst dann passte er. «Ich möchte den alten Mann nicht mehr auf der Leinwand sehen», erklärte er. Von da an widmete er sich seinen Leidenschaften: Malerei, Musik und Literatur. Clint Eastwood, der auch nach 90 tolle Filme gemacht hat, beschrieb es so: «I just never let the old man in.» Das Geheimnis des Lebens bestehe darin, interessiert zu bleiben. Er ziehe sich nicht zurück, weil er jeden Tag etwas Neues lerne. Das Gehirn müsse genauso trainiert werden wie der Körper, erklärt er seinen ungebrochenen Arbeitseifer.

Und weshalb soll das nur für Künstler gelten? Der grosse Medienmagnat Rupert Murdoch gab zwar im hohen Alter von 92 Jahren sein formelles Amt als Vorstandsvorsitzender der News Corporation an seinen Sohn Lachlan ab. Doch auch noch Jahre später bestimmt er weitgehend, was in seinen Unternehmen läuft. Kürzlich hat er sich sogar öffentlich mit Donald Trump angelegt. «Während meines gesamten Berufslebens habe ich mich täglich mit Neuigkeiten und Ideen beschäftigt, und daran wird sich auch nichts ändern. Ich werde weiterhin jeden Tag im Wettbewerb der Ideen involviert sein», erklärt er trotzig.

Als man den Schweizer Zigarren-Unternehmer Heinrich Villiger mit über 90 Jahren fragte, weshalb er noch arbeite, meinte er: «Was soll ich denn sonst machen?» Er liebe es, zu jagen, aber auf den Hochsitz könne er nicht mehr klettern. Und auch biken könne er nach einem Sturz nicht mehr. Den ganzen Tag lesen wolle er auch nicht. Also bleibe die Arbeit. Bis zum Schluss. Das klingt wenig euphorisch. Josef Ackermann, der ehemalige Chef der Deutschen Bank, sagte dazu: «Wenn man den ganzen Tag nur Golf spielt, altert man schneller.» Der Ex-Banker holt sich seine adrenalintreibenden Kicks gleich wie in früheren Zeiten vor allem mit spannenden Börsenwetten.

Ist eine lustvolle Arbeit auch eine Alterstherapie? Dafür spricht einiges. Elke Heidenreich sieht es ebenso. «Ich beneide niemanden ums Nichtstun», erklärt sie in ihrem Buch «Altern» und verweist auf ihr Umfeld von «Lehrern, Journalisten, Schreibtischtätern und Intellektuellen», für die es nicht sinnvoll wäre, «endlich nicht mehr denken zu müssen».

Eine weitere berufliche Tätigkeit ist ein Privileg, das die meisten Zwangspensionierten nicht haben. Sie werden zumeist mit 65 abrupt in Rente geschickt, und haben daher nicht die Möglichkeit, ihre langjährige Erfahrung weiterhin einzubringen, auch wenn sie dies gerne tun würden. Das in unseren Breitengraden weiterhin geltende, total antiquierte Rentenalter, das aus dem fernen 19. Jahrhundert stammt und die rasante Erhöhung der Lebenserwartung immer weniger abbildet, führt in unseren alternden Gesellschaften zu immer grösseren Verwerfungen. Doch der organisierte Widerstand gegen eine Erhöhung des Rentenalters ist zäh. Dänemark hat es geschafft und auf 70 Jahre geschaltet, in der Schweiz ist eine entsprechende Volksabstimmung vor kurzem mit 75 Prozent Nein überdeutlich verworfen worden.

Als Unternehmer habe ich die Chance, selbst über meine berufliche Aktivität zu befinden, und dies schätze ich ungemein. Andere haben diese Möglichkeit nicht. An Klassenzusammenkünften bin ich zu meiner Überraschung seit vielen Jahren der Einzige, der noch regelmässig beruflich tätig ist. Wenn ich mich jeweils etwas verschämt in der Runde umhöre, habe ich nicht das Gefühl, dass mir dies ursächlich geschadet hat.

Ich glaube deshalb, dass meine Altersgenossen vieles tun sollten, um aktiv zu bleiben. Es muss nichts Berufliches sein. Es kann irgendeine Tätigkeit sein, die zusagt. Es braucht aber einiges an Engagement, dazu ziemlich viel Disziplin. Zwischen zwei Auslandsreisen nur halb präsent zu sein, geht nicht. Alles zusammen kriegt man nicht gebacken. Mit einer neuen Leidenschaft, einem spannenden Projekt und vielleicht sogar einer verrückten Idee hält man hingegen die eigene Maschinerie in Schwung.

Wer karitativ tätig ist, beweist seine Verantwortung für die Gesellschaft und pflegt zugleich die eigene Seele. Wer als Mentor junge Menschen begleitet und motiviert, leistet einen wichtigen Beitrag für unsere Gesellschaft. Und wer eine neue Firma oder einen neuen Verein gründet, stösst in unbekannte Gefilde vor.

Meist gibt es nach dem Verlust eines wichtigen Amtes Optionen, die der neuen Situation besser entsprechen. Denn ganz aufzugeben, ist keine valable Option. Nicht für uns. Dafür sind wir Boomer mit unserer Geschichte und unseren tollen Vorgaben noch zu jung und zu tatkräftig. Wir sollten uns auch nicht allzu leicht von Rückschlägen oder Zurückweisungen einschüchtern oder gar entmutigen lassen. Aktivitäten vielfältigster Art sind ein integraler Teil unseres Programms, das wir so lange wie möglich durchziehen sollten – auch wenn es hie und da schwieriger werden sollte, als wir es uns gewünscht hätten. In solchen Situationen motiviert mich der Refrain aus dem Song von Lenny Kravitz: «It ain't over 'til it's over». Und damit bin ich bisher meist gut gefahren.

Der Hosenstall

«Es war der ... Dings» In Gesprächen mit Altersgenossen fällt wohl kein Satz häufiger. Dabei zeigt der Sprechende jeweils ein verdutztes oder gar verärgertes Gesicht und hofft, irgendwie aus dieser Kalamität herauszufinden. Alle Anwesenden sind peinlich bemüht, mit eigenen Vorschlägen den fehlenden Namen zu finden und das Problem möglichst schnell wegzuschaffen. Denn über dem Ganzen hängt immer das Damoklesschwert Demenz oder gar Alzheimer, vor dem sich ausnahmslos alle fürchten.

«Baumgartner» heisst das letzte Buch des grossen amerikanischen Autors Paul Auster, der kurz nach der Publikation im Alter von 77 Jahren starb. Auster beschreibt im Buch in bissiger, teilweise auch humorvoller Weise die altersbedingten Probleme seines Protagonisten. Dieser stürzt die Kellertreppe hinunter, verbrennt sich an einem Topf auf dem Herd und zeigt sich mit offenem Hosenstall, wie es Auster bei Freunden erlebt hat, die so vom WC zurückkehrten. «Die offenstehende Hose ist der Anfang vom Ende», bemerkt er lakonisch. Baumgartner fühlt sich deshalb nur noch als «menschlicher Stumpf, als halber Mann».

Die normale Altersvergesslichkeit ist im Grunde ein natürlicher Teil des Älterwerdens. Sie entsteht, weil die Informationsverarbeitung im Gehirn mit zunehmendem Alter langsamer wird, und nicht, weil Zellen massenhaft absterben wie bei Demenz. Die normale Altersvergesslichkeit lässt sich nicht komplett wegzaubern, aber man kann das Gehirn wie einen Muskel trainieren, sagen Fachleute und sprechen uns damit Mut zu.

Demenz ist nicht ein einzelnes Krankheitsbild, sondern der Oberbegriff für verschiedene Erkrankungen des Gehirns, bei denen Nervenzellen und ihre Verbindungen nach und nach zugrunde gehen. Dies führt dazu, dass Gedächtnis, Orientierung, Sprache, Urteilsvermögen und Alltagsfähigkeiten nachlassen. Die häufigste Form von Demenz ist die Alzheimer-Krankheit. Demenz entsteht, wenn das Gehirn über längere Zeit strukturell oder funktionell geschädigt wird – und zwar unabhängig davon, ob dies durch Eiweissablagerungen, Durchblutungsprobleme, Entzündungen oder andere Prozesse geschieht.

Eine beginnende Demenz führt nicht nur zu Gedächtnisverlust. Vielfach taumelt man in finanzielle Probleme, weil man vergisst, seine Rechnungen zu bezahlen. Andere tätigen grosse Impulskäufe, die sie in Schwierigkeiten bringen. Eine weitere Folge sind zunehmende Schlafprobleme. Zudem verändert sich meist auch die Persönlichkeit. Man wird zu einer weniger angenehmen Person, verliert seine Extrovertiertheit und vertraut anderen Personen weniger als früher. Mit Demenz sollte man nicht mehr selbst Auto fahren, weil man die dazu notwendige Fähigkeit, schnell und richtig zu reagieren, nicht mehr besitzt. Mit einem Wort: Demenz verändert jedes Leben grundlegend.

Demenz ist also etwas, das man bestmöglich verhindern sollte. Demenz führt vielfach sogar zum schreckerregenden Befund Alzheimer, gegen den die Pharmaindustrie trotz jahrzehntelangen Forschungen noch kein taugliches Mittel gefunden hat. Mit den bisher angebotenen Medikamenten lässt sich Alzheimer nicht stoppen, sie lindern lediglich die Symptome und verlangsamen den Krankheitsfortschritt.

Demenz hat verschiedene Ursachen. Einerseits beruht die Krankheit auf genetischer Veranlagung. Diese kann man nicht oder nur marginal beeinflussen. Entweder hat man Glück, oder eben nicht. Das ist Schicksal, aber kein Grund zur Kapitulation. Denn die Genetik ist nur ein Faktor unter mehreren.

Ein zweiter Hauptgrund ist der generelle Alterungsprozess, und auf den haben wir direkten Einfluss. Und er ist mit richtigem Verhalten steuerbar – diese Möglichkeit sollte man unbedingt und mit voller Ernsthaftigkeit nutzen.

Da im Alter der Bluthochdruck generell steigt, nehme ich zum Beispiel seit einigen Jahren jeden Morgen eine einzige Tablette zu mir. Ausserdem kontrolliere ich meinen Blutdruck regelmässig. Ein hoher Bluthochdruck erhöht das Demenzrisiko. Gleiches gilt für Diabetes, die man mit den Errungenschaften unserer Medizin ebenfalls unter Kontrolle bekommt. Unbedingt wichtig ist es zudem, das Rauchen einzustellen. Studien zeigen, dass Raucher je nach Menge und Dauer ein 30 bis 80 Prozent (!) höheres Risiko haben, an Demenz zu erkranken. Rauchen erhöht eben nicht nur das Risiko, an Lungenkrebs zu sterben, sondern führt allzu oft zu Demenz. Die alarmierenden Aufschriften auf Zigarettenpackungen («Rauchen ist tödlich» u. a.) wären wohl um einiges wirkungsvoller, wenn sie auch auf diesen Befund hinweisen würden. Der Tod ist zwar eine Schreckensvision, aber der Hinweis auf drohende Demenz wäre für viele womöglich eine noch erschreckendere Perspektive …

Demenz wird zudem durch Übergewicht im mittleren Alter befördert. In späteren Jahren nimmt der Einfluss dieser Komponente zwar ab, aber die Folgen des früheren Übergewichts wirken nach. Langzeitstudien belegen, dass Personen, die im mittleren Alter adipös waren, im Alter ein deutlich höheres Demenzrisiko haben, selbst wenn sie ihr Normalgewicht wieder erreicht haben. In diesen Fällen ist es noch dringlicher, alle Massnahmen für eine gesunde Lebenshaltung einzuhalten, die in diesem Buch beschrieben werden. Dazu gehört, dass man Bewegungsmangel vermeidet, sich gesund ernährt und sich nicht in die soziale Isolation begibt.

Und dann geht es auch und vor allem um die Pflege der kognitiven Fähigkeiten. Dabei sollte man sich nicht von gelegentlichen Gedächtnislücken ins Bockshorn jagen lassen. Es gilt das eigene Gehirn zu trainieren. So ist es hilfreich, wenn man eine neue Sprache lernt, neue Tanzschritte einübt, Memory spielt, Kreuzworträtsel oder Sudokus löst. Entscheidend ist, dass man Verhaltensweisen findet, die einem zusagen und die erwünschte Stärkung der kognitiven Fähigkeiten erzielen.

Ich selbst pflege in meinen Interview-Sendungen eine Form von Gehirn-Jogging. Auf diese

Talks bereite ich mich akribisch vor, speichere Daten und Namen und notiere sie mir als Nothilfe auf einem Zettel, den ich jederzeit einsehen kann und der mir die zusätzliche Sicherheit gibt, nicht mitten in einem Satz abzustürzen. Und ich versuche, mich während der gesamten Sendezeit voll zu konzentrieren. Meine Gedanken dürfen nie abschweifen, weder von meinem Gast noch vom Thema. Ich bin überzeugt, dass dies auch eine wirkungsvolle Therapie gegen Demenz ist.

Man muss also ein ganzes Programm abspulen, und zwar konsequent. Dies klingt sehr anspruchsvoll – und das ist es auch. Aber wenn man die 80 relativ unbeschadet erreicht hat, wäre es doch himmeltraurig, wenn man nicht alles Sinnvolle unternehmen würde, damit die gute Form noch möglichst lange anhält und das furchterregende Demenz-und-Alzheimer-Gespenst bestmöglich verscheucht wird.

Das eigene Haus, die eigene Wohnung

Festhalten kann oft die richtige Strategie sein. So titelte eine verblüffte NZZ vor kurzem: «Babyboomer bleiben in ihren Immobilien». Anders als vielfach erwartet, verlasse diese Generation ihre Häuser und Wohnungen nicht in Massen. Das führe dazu, dass immer mehr Wohnraum ineffizient genutzt werde, da diese Häuser und Wohnungen meist nur noch von einer oder zwei Personen belegt seien. Auch nehme mit zunehmendem Alter die Neigung zu Umzügen kaum zu und betrage aktuell lediglich 1,5 Prozent pro Jahr, wie eine Studie belege. Dies liege auch daran, dass die ökonomischen Anreize für einen Wohnungswechsel bei den meisten Boomern nicht gegeben seien.

Weshalb ist man also überrascht? Wohl weil man uns Boomer und unsere Sicht des Lebens völlig falsch eingeschätzt hat! Denn welche tollen Alternativen liegen uns vor? Eine überteuerte, kleine Wohnung in einer Gegend, in der wir niemanden kennen und uns erst mühsam zurechtfinden müssen? Und wer von uns Boomern träumt vom Altersheim? Wollen wir dort Jahre verbringen, lange bevor wir zum Pflegefall werden? Wohl kaum. Altersheime erscheinen als Einrichtungen, die für frühere Generationen geplant und gebaut wurden. Wenn immer möglich bleiben wir ihnen fern.

Die Vorbehalte gegenüber dem Umzug ins Altersheim blieben nicht unbemerkt. Besorgte Fachleute haben sich einen weiteren verbalen Vertuschungseffekt für die unattraktive und explosive Kombination von Alter und Heim ausgedacht. Heute sollen «golden ager» nicht mehr ins Altersheim wechseln, sondern in ein Seniorenzentrum oder, wenn es nicht anders geht, in ein Alterszentrum. Diese Bezeichnungen klingen weniger bedrohlich oder gar endgültig.

Deshalb verbleiben viele Boomer in zu grossen Häusern und in Wohnungen mit zu vielen Zimmern. Das erscheint ihnen erheblich attraktiver als das Verlassen der während Jahrzehnten gewohnten Umgebung. Die zahlreichen, aus gesellschaftlicher Sicht unerwünschten Nebenwirkungen werden in Kauf genommen. Ist dieses Verhalten egoistisch? Ja, natürlich ist es das. Ist es auch nachvollziehbar? Unbedingt. Denn damit unterstreicht unsere Generation, dass wir unsere erworbenen Positionen weiterhin so lange verteidigen werden, wie wir es für richtig halten. «My home is my castle», ein Ausdruck aus dem englischen Common Law des 17. Jahrhunderts, gilt heute insbesondere für uns Boomer, weil wir unseren Wohnort meist nur in einer von zwei Extremsituationen aufgeben: wenn wir zum Pflegefall werden oder wenn wir sterben. Diese Haltung stärkt unser Selbstbewusstsein und unser Wohlbefinden, sodass gemäss mehreren Studien die Zufriedenheit mit der eigenen Wohnsituation bei keiner Altersgruppe so hoch ist wie bei uns Boomern.

Die Daten untermauern dies. So ist das Eintrittsalter in Schweizer «Alterszentren» von 82 auf beinahe 85 Jahre gestiegen. Gleichzeitig ist die Verweildauer in Pflegeeinrichtungen von 3 auf 2 Jahre zurückgegangen, auch in Deutschland. Diese beiden Entwicklungen untermauern etwas Wichtiges: Die gesunde Lebenszeit hat sich verlängert und die Krankheitszeit wurde verkürzt. Wir müssen nun alles tun, damit sich dieser Trend weiter verstärkt, wenn wir Boomer in jene nicht mehr ganz so fernen Jahre vorstossen. Man kann es nicht oft genug betonen: Wir können die weitere Entwicklung allein mit unserem eigenen Verhalten beeinflussen.

Gibt es für spätere Lebensphasen ideale Verhältnisse, in denen wir von unserem bisherigen

Leben nur wenig abweichen müssen? Wo finden sich solche Verhältnisse heute? Leider bin ich auf keine befriedigende Antwort gestossen.

Einen sehr speziellen Ansatz wählte man in den USA. Dort gibt es vor allem im sonnigen Florida riesige Seniorenwohnanlagen («retirement communities»), für die man sich bereits ab 55 Jahren bewerben kann. Die grösste und bekannteste dieser Anlagen heisst The Villages. Sie gilt als die am schnellsten wachsende «Stadt» der USA. Das Medianalter der Personen liegt aktuell bei 74 Jahren. In The Villages lebten 2023 150 000 Personen, und zwar in Villen, Bungalows, Einfamilienhäusern und Apartments, die den Bedürfnissen von Senioren angepasst sind. Das Hauptverkehrsmittel sind Golfcarts. Es gibt ein riesiges Freizeitangebot von Golf über Tennis, Pickleball und vieles mehr. Etwa 80 Pools stehen fürs Schwimmen zur Verfügung. Zudem wird täglich viel Kultur und Unterhaltung angeboten. Eine Vielzahl von Clubs, Kursen und Workshops sind ebenfalls Teil des Programms. Und natürlich gibt es ein eigenes Spital. Propagiert wird ein «Active Adult Lifestyle» – also kein klassisches Altersheim, wie wir es kennen, sondern Aktivität, Geselligkeit und Unabhängigkeit für aktive Senioren.

In Europa gibt es nichts Vergleichbares. Am meisten verbreitet sind die klassischen «Alterszentren», die zumeist auch alle Pflegezentren sind. Die privaten Wohnparks für Senioren sind viel kleiner und stark pflegeorientiert. In der Schweiz ist die Firma Tertianum in diesem Bereich mit über 90 Häusern vertreten. Auch in Deutschland betreibt sie einige Standorte. Alles ist dort sehr luxuriös und teuer – aber meilenweit von den Florida-Angeboten entfernt. Und das Durchschnittsalter scheint auch höher zu sein als in The Villages, obwohl keine konkreten Daten für die heimischen Wohnparks publiziert werden.

Welcher Ansatz eignet sich nun besser für uns Boomer? Mir passt keiner von beiden so richtig. Ich glaube, für unsere Generation fehlt bisher ein wirklich attraktives Konzept. Auch die Sehnsucht nach einer Wohngemeinschaft mit alten Freunden zerschellt meist an der Realität. Diese erscheint beim näheren Hinsehen jeweils meist als zu komplex und zu risikoreich. Und deshalb hält man sich, solange es nur eben geht, an das, was man kennt.

Loslassen

Wir alle müssen irgendwann definitiv loslassen. Doch die Stunde des natürlichen Todes kann man nicht planen. Wird man mit einem Lächeln hinübergleiten? Oder geht man im Zorn? Wird man seinen Liebsten den Segen geben können, der sie auf immer begleiten und stärken wird? Ist in dieser Stunde vieles leichter, wenn man mit sich selbst im Reinen ist, weil man das Gefühl hat, ein gutes und ehrliches Leben gelebt zu haben? Ich glaube das, nachdem ich einige Menschen in ihrer Sterbestunde begleitet habe. Und ich hoffe deshalb, dass ich diesen ultimativen Test bestehen werde, wenn ich dereinst an der Reihe bin. Aber sicher kann sich niemand sein.

Loslassen müssen wir bereits vorher. In unserer Generation haben wir das bereits in vielfacher Weise erleben müssen. Wir alle haben Jobs, Freunde und Familie verloren und mussten mit solchen Verlusten umgehen, sie sind ein Teil des Lebens. Wie geht man damit bestmöglich um? Buddha sagte: «Wenn wir das Vergängliche für dauerhaft halten, leiden wir.» Wer dies erkennt, schätzt die Gegenwart mehr – jeder Moment ist kostbar, gerade weil er vergeht.

Es gibt zwei Formen des Loslassens. Einerseits sind es Verluste, auf die wir keinen Einfluss haben, etwa der Tod eines nahestehenden Menschen. Anderseits sind es Situationen, bei denen wir selbst die Entscheidung zu treffen haben. Der Schmerz, der durch jedes Loslassen entsteht, wirkt deshalb in unterschiedlicher Weise.

In unserem Alter mussten wir schon viele Türen hinter uns schliessen und Liebgewordenes zurücklassen. Ich spreche etwa vom Rückgang der Virilität beim Mann, bei dem sich der Testosteronspiegel bereits ab dem 40. Geburtstag kontinuierlich verringert. Bei Frauen führen die Menopause und die damit ausgelösten Hormonrückgänge zu grösseren körperlichen Veränderungen, die auch auf die Psyche wirken.

Dann gibt es die Entscheidungen, die wir selbst zu treffen haben. Ein Beispiel aus persönlicher Erfahrung: Seit frühester Jugend bin ich Ski gefahren und habe diesen Sport über alles geliebt. Das grossartige Gefühl, an einem sonnigen Wintertag einen verschneiten Hang hinunter zu brausen, war durch nichts zu übertreffen. Doch seit einiger Zeit bin ich vermehrt ins Grübeln geraten. Die Berichte über die teilweise gravierenden Skiunfälle verunsichern mich. Soll ich mich weiterhin diesen Gefahren aussetzen, vor allem da ich weiss, dass das Gleichgewichtsgefühl in meinem Alter weniger gut ist als früher?

Ähnliche Gedanken mache ich mir in einem anderen Bereich. Vor einigen Jahren erlebte ich auf dem Fahrrad, wie ein junger Hund unverhofft direkt vor mir auf den Feldweg sprang. Reflexartig betätigte ich die Bremsen, die hervorragend und blitzschnell reagierten, worauf ich mit einem hohen Salto durch die Luft wirbelte. Dies bescherte mir einen Schulter- und einen Ellenbogenbruch, wie ich Stunden später im Krankenhaus erfuhr. Seither weiss ich, wie ungeschützt man auf dem Fahrrad den sehr starken Fliehkräften ausgesetzt ist, vor denen man sich auch mit dem Aufsetzen eines Helms nicht vollständig schützen kann. Deshalb zögere ich heute, dieses ökologisch so wertvolle Fortbewegungsmittel weiterhin zu nutzen.

Ich frage mich immer öfter: Soll ich das Risiko einer Verletzung auf mich nehmen, weil ich aus Altersgründen nicht vorschnell einknicken möchte? Wäre der Verzicht auf das Fahrrad ein sinnvolles Loslassen oder eine vorzeitige Kapitulation, die ich als vermeidbaren Verlust besonders schmerzhaft empfinden müsste? Amerikanische Studien zeigen, dass Stürze die bei weitem häufigste Ursache von tödlichen Unfällen bei Personen ab fünfundsechzig Jahren sind. Solche Fragen treiben mich um – und ich bin sicher, dass es vielen von uns ebenso geht. Welche Grenzen setzen wir uns? Wovon verabschieden wir uns, und wann? Wie beeinflusst dies unsere Befindlichkeit? Und wo vermeiden wir es bewusst, Risiken zu verringern, und dies ohne Nachgeschmack?

Es ist einfacher, wenn der Körper selbst die ultimativen Antworten liefert. Nach dem zehnten Marathon war ein gigantischer Knorpelschaden in meinem rechten Knie schlicht nicht mehr übersehbar. Zwar hatte sich diese Entwicklung schon zuvor schmerzhaft bemerkbar gemacht, doch ich hatte sie lange widerwillig zur Seite geschoben, bis das Einsetzen einer Prothese unerlässlich wurde. Hätte ich früher losgelassen und auf ein oder zwei Marathons verzichtet, wäre ein solch massiver Eingriff wohl vermeidbar gewesen. War ich also stur und uneinsichtig gewesen? Ich glaube schon. Erst mehrere Jahre nach der Knieoperation wagte ich mich wieder zögerlich ans Joggen, allerdings nur mit kurzen Distanzen, aber ich fühlte mich deswegen nicht schlecht.

Wir sollten das Loslassen üben, indem wir unser Verhalten permanent einer ehrlichen Prüfung unterziehen. Gleichzeitig sollten wir versuchen, Türen zu bisher Unbekanntem zu öffnen. Unser Leben sollte sich nicht laufend verengen, es sollte sich vielmehr den Bedingungen des Alters anpassen. Dieser Devise folgend, stiess ich überraschenderweise auf Golf, einen Sport, den ich zuvor immer belächelt hatte. Als wir vor Jahren ein Ferienhaus auf Ibiza kauften, suchte ich neben dem omnipräsenten Strandleben nach einer neuen Betätigung. Viel Auswahl gibt es auf dieser Insel nicht. Deshalb schaute ich mich widerwillig auf dem in unmittelbarer Nähe gelegenen Golfplatz um. Mit 70 Jahren war ich natürlich viel zu alt, um in diese hochkomplexe Betätigung einzusteigen, stellte ich bald fest. Trotzdem wagte ich den mühseliger Beginn, und erlebe seither die in diesem schwierigen Sport vielfachen positiven und negativen Emotionen mit der unbedingt notwendigen Portion Demut.

So hat sich eine neue Tür für mich geöffnet. Neue Erfahrungen und neue Erlebnisse erweitern unseren Horizont und verbessern unsere Befindlichkeit. Loslassen ist das eine, das Auffinden neuer Aktivitäten das andere. Die Freude am Entdecken sollte uns auf dem weiteren Lebensweg möglichst lange begleiten, denn das Gefühl, dass sich unser Leben nur noch verengt, ist schlicht deprimierend.

«Es ist das letzte Mal, dass ich …» Damit schliesst man vielfach mit Dingen ab, die einem lieb sind. Das letzte Mal nach Italien fahren, das letzte Mal ein Auto kaufen, das letzte Mal Sex, das letzte Mal ein Konzert besuchen …

Wer so denkt, schränkt sich oft unnötigerweise ein. Unser Leben war bisher voller Überraschungen. Weshalb sollte das nicht auch in Zukunft der Fall sein? Wer weiss, was wir alles noch erleben können, wenn wir offenbleiben? Vielleicht werden wir in einem selbstfahrenden Auto sitzen und damit auch im hohen Alter mobil bleiben. Wer laufend ans letzte Mal denkt, der verliert die Zuversicht, dass weiterhin viel Spannendes und Positives möglich ist. Er lässt Dinge los, die man nicht loslassen sollte. Das letzte Mal wird mit Sicherheit für alles kommen. Aber zuvor kann noch so viel geschehen, an dem man sich erfreuen kann. Und das sollte man unter keinen Umständen verpassen.

Alter weiser Mann?

Die Begriffe Alter und Weisheit waren seit je eng miteinander verbunden, und dies in Bezug auf Frauen und Männer. So galt Altersweisheit als die praktische Vernunft, also als das, was man nicht aus Büchern, sondern aus dem gelebten Leben gelernt hat. Bei den alten Griechen, bei Solon und Sokrates, war das Alter die Zeit für das Gerechte und Gute. In Sparta und Rom waren die «Ältestenräte» die Institutionen der Weisheit. In vielen traditionellen aussereuropäischen Gesellschaften ist der Respekt vor dem Alter bis heute ein zentraler Wert. So ist die Altersweisheit im Buddhismus die Einsicht in die Vergänglichkeit des Lebens und das Loslassen des Egos.

Bei uns ist dies heute anders. Die Jugendkultur hat den Status der Alten grundlegend geschwächt. Diese Entwicklung ist die Folge einer sich immer schneller verändernden Gesellschaft mit immer neuen Anforderungen. In einem solchen Umfeld haben die spirituelle Reife und die Lebenserfahrung älterer Menschen ihre moralische und praktische Autorität weitgehend verloren. Da die früheren Werte durch ständig neue Entwicklungen immer mehr ausser Kraft gesetzt werden, ist der Erfahrungsschatz der Alten weitgehend irrelevant geworden.

Wir Boomer erleben diesen schmerzlichen Statusverlust im Kontakt mit Menschen der jüngeren Generationen. Exemplarisch zeigt sich das etwa bei unseren Schwierigkeiten mit den sich laufend verändernden Anforderungen der digitalen Umwelt, die in immer weitere Lebensbereiche eindringt. Der in früheren Zeiten erwiesene Respekt wurde uns entzogen. In modernen Gesellschaften wird das Alter sehr oft nicht mit Weisheit, sondern mit fehlender Produktivität und Rückständigkeit assoziiert, also mit etwas Negativem.

Der seit Jahren grassierende Feldzug gegen den «alten weissen Mann» hat mehrfache Auswirkungen. Da ist einmal die klar rassistische Komponente («weiss»), die aus der postkolonialen Ecke in die als feministisch lancierte Kampagne eingeschmuggelt und lange übersehen wurde. Sie verstärkte den Trend, ältere Menschen – und natürlich vor allem ältere Männer – grundsätzlich abzuwerten und auszusondern. Sie sollen unter dem Kampfruf «Diversität» aus ihren Positionen verdrängt werden, damit diese von mehrheitlich jungen Frauen mit Migrationshintergrund besetzt werden. Mit diesem Dreierpack – alt, weiss, Mann – erreichte die Identitäts- und Woke-Bewegung sehr viel Aufmerksamkeit und erzielte grössere Erfolge.

Das erleben vor allem männliche Personen, die in höherem Alter weiterhin in Machtpositionen verharren. Der heute 82-jährige Joe Biden hat es auf besonders brutale Weise erfahren. Auch der bald 80-jährige Donald Trump wird permanent auf seine kognitiven Aussetzer abgeklopft, mit denen man eine fortschreitende Demenz belegen will. Wladimir Putin ist 73 Jahre alt, Xi Jinping 72, und beide wollen ihr jeweiliges Amt offenbar bis an ihr möglichst fernes Lebensende nicht abgeben. In Kamerun ist Paul Biya (92) seit 43 Jahren und mit äusserst mässigem Erfolg Präsident. Bei den jüngsten Wahlen im Oktober 2025 wurde er nochmals in seinem Amt bestätigt. Robert Mugabe war in Simbabwe während 37 Jahren und bis ins Alter von 93 Jahren Präsident seines Landes, das er in ein unermessliches Desaster steuerte. Mahmoud Abbas, Chef der Palästinensischen Behörde, ist 89 Jahre alt und weigert sich trotz miserablen Umfrageergebnissen weiterhin abzutreten. Und Ali Khamenei, der spirituelle Führer Irans, ist 86 Jahre alt und gilt in allen Bereichen, den politischen und den religiösen, als letzte Instanz. Keinem dieser Sesselkleber wird Altersweisheit zugestanden, vielmehr wird bei ihnen vielfach ein unappetitlicher Altersstarrsinn diagnostiziert. Ihr oft verzweifeltes Festklammern an ihren Machtpositionen verstärkt den Eindruck, dass sie vor allem Eigeninteressen verfolgen und damit auch das traditionelle Image der Altersweisheit weiter beschmutzen.

Aber es gibt auch prominente Gegenbeispiele, Persönlichkeiten, denen grosse Altersweisheit attestiert wird. Etwa Mahatma Gandhi mit seinem Prinzip der gewaltfreien Politik, die auf innerer Ruhe basierte. Dasselbe gilt für Nelson Mandela, der nach 27 Jahren Haft nicht Bitterkeit empfand, sondern Versöhnung anstrebte. Dann natürlich für den Dalai Lama, den von seinen Anhängern als Heiligkeit verehrten tibetischen Führer mit viel Mitgefühl, Gelassenheit und Humor bis ins hohe Alter. Zu nennen ist auch Viktor Frankl, der das KZ Auschwitz überlebte und seine Logotherapie auf der Basis der Sinnfindung im Leiden entwickelte. Und Albert Einstein, der im Alter eine beinahe schon spirituelle Gelassenheit gegenüber Leben und Tod entwickelte. Sokrates – «ich weiss, dass ich nichts weiss» - verkörperte bis ins Alter

Demut und hat mit dieser Aussage über Jahrhunderte die Menschen beeindruckt.

Hat für uns Boomer das Streben nach Altersweisheit seine Bedeutung verloren? Im Gegenteil. Der gesellschaftliche Statusverlust, den wir erleben, sollte uns nicht davon abhalten, nach Altersweisheit zu streben, auch wenn uns dies nicht als Altersgruppe, sondern höchstens individuell, positive Reaktionen einbringt. Denn die Altersweisheit ist für uns von essenzieller Bedeutung. Sie entsteht aus einer Balance zwischen Mitgefühl, Wissen, Gelassenheit und Sinn. Man erreicht all dies nicht quasi automatisch. Vielmehr ist es das Ergebnis von Bewusstheit und intensiver innerer Arbeit.

Altersweisheit ist das Eingeständnis der eigenen Begrenztheit, das zu Gelassenheit und Demut übergehen kann. Menschen mit Altersweisheit achten auf Fairness, ohne stur auf Prinzipien zu pochen. Sie wissen, dass sie selbst nicht immer recht haben. Das gelebte Leben wird bejaht, und nicht das ungelebte betrauert, befand schon Seneca. Und in der stoischen Philosophie gilt der Grundsatz: «Der Mensch wird weise, wenn er lernt, die Dinge, die er nicht ändern kann, zu akzeptieren, und die Dinge, die er ändern kann, zu gestalten.» Altersweisheit gibt dem Leben also seinen Sinn – auch im Rückblick und im Leiden. Die Altersweisheit erkennt das Unsichtbare, die Beziehung, die Liebe und den Sinn. Oder wie es der kleine Prinz in Antoine de Saint-Exupérys grossartigem Werk formulierte: «Man sieht nur mit dem Herzen gut. Das Wesentliche ist für die Augen unsichtbar.»

Altersweisheit ist deshalb die Frucht eines bewussten Lebens – und muss für uns Boomer mit unserer noch möglichst langen gesunden Lebenszeit zentrale Bedeutung einnehmen. Und dies, auch wenn wir damit höchstens für uns selbst und in unserem engen Umfeld und nicht in der Gesellschaft als Ganzem Positives erreichen können.

Altersmilde

Man blickt nicht erst im Alter zurück. Der Rückblick beginnt zum Teil viel, viel früher. Paul McCartney war erst 23 Jahre alt, als er seine Ballade «Yesterday» schrieb, die es im Jahr 1965 vier Wochen lang bis auf Platz 1 der Billboard-Hitparade schaffte. In diesem Song finden sich Zeilen wie diese: «I am just half the man I used to be» (Ich bin nur noch die Hälfte des Mannes, der ich früher war). Paul Simon veröffentlichte im Alter von 33 Jahren den Song «Still crazy after all these years» (Nach all diesen Jahren bin ich noch immer so verrückt wie früher). Im Film «The Way We Were» aus dem Jahr 1973, in dem die beiden Hauptdarsteller mit wehmütigem Blick auf ihr wunderbares früheres Leben zurückblicken, war Robert Redford 37 und seine Partnerin Barbra Streisand gar erst 31 Jahre alt.

Und jetzt, da wir so viele Jahre älter sind, wie sieht unser Blick zurück aus? Was sticht heraus, was bedauern wir und worauf sind wir stolz? Und was hat dieses Leben aus uns gemacht? Wie haben wir uns im Lauf der Jahre entwickelt? Und wo stehen wir heute?

Verändert haben wir uns alle. Die Frage ist,

in welche Richtung? Sind wir eher altersmild oder eher altersstarrsinnig geworden? Mit der entsprechenden Charaktereigenschaft bewegen wir uns von allem Anfang an auf einer Skala zwischen zwei Extrempositionen. Und im Alter streben wird in der Regel auf jene zu, der wir uns schon bisher mehrheitlich zugewandt haben.

Betrachten wir die Sache etwas genauer: Die Altersmilde erreicht man mit Gelassenheit und einer gehörigen Portion Weisheit, also mit Verhaltensmustern, die die meisten von uns früher noch nicht hatten. Damals nervten wir uns oft tödlich über Dinge, die dann aus der Rückschau gar nicht mehr so wichtig waren. Wenn wir altersmild sind, verhalten wir uns nachsichtiger, friedfertiger und freundlicher als in früheren Jahren. Das ist gut für uns und noch besser für unsere Umgebung. Die Altersmilde verschafft uns Sicherheit und Vertrauen, dass wir auch künftige, noch unbekannte Probleme bewältigen werden.

Es gibt eine Vielzahl von Eigenschaften, die zu Altersmilde hinführen. Im Zentrum steht die Empathie, also das Mitgefühl für andere. Dazu gehört auch die Fähigkeit, über sich und die eigenen Unzulänglichkeiten zu lachen, ebenso die Offenheit für neue Sichtweisen. Wichtig ist auch eine höhere Stressresistenz, weil man Dinge hinnehmen kann, die nicht zu ändern sind. Vor allem aber sollte man das Gefühl haben, ein sinnvolles Leben geführt zu haben. Menschen, die im Alter milde wirken, haben oft gute soziale Bindungen, in denen sie Wertschätzung und Geduld üben. Altersmilde ist also ein positives Verhalten, das es bereits möglichst frühzeitig anzustreben gilt.

Zu Altersstarrsinn führen die Angst vor Kontrollverlust, die geringe Fähigkeit, sich an neue Situationen anzupassen, sowie die Verbitterung darüber, dass man das Opfer vieler Ungerechtigkeiten gewesen ist. Und narzisstische Tendenzen führen zur Unfähigkeit, eigene Fehler oder Grenzen zu erkennen, was die vorhandenen negativen Verhaltensmuster noch weiter verstärkt.

Psychologen sind überzeugt, dass sich diese Persönlichkeitsmerkmale im Alter akzentuieren. Milde Personen werden milder, verbitterte starrer. Dabei spielen aber auch Faktoren wie der Gesundheitszustand, die soziale Einbettung und der Zustand der kognitiven Fähigkeiten eine Rolle.

Wenn man also seine Haltung vermehrt in Richtung Altersmilde steuern möchte, kann man dies trotz den vorhandenen charakterlichen Grundmustern bis zu einem gewissen Grad erreichen. Dazu bedarf es aber einiger gezielter und bewusster Verhaltensänderungen, die es ernsthaft aufzunehmen gilt. So soll man Gelassenheit üben, Erwartungen an positive Entwicklungen herunterfahren und dankbar für Erlebtes sein. Zudem sollte man in vielen Situationen über sich selbst lachen können, also weniger streng und perfektionistisch mit sich selber sein. Auch sollte man sich nicht mit aller Kraft an alte Verletzungen klammern, sondern sie bestmöglich loslassen.

Wir könnten alles etwas lockerer als früher angehen. Um dies zu erreichen, stehen uns mehrere Ansätze zur Verfügung, die bis anhin viele von uns noch nicht in Betracht gezogen haben.

Einer davon ist Achtsamkeit. In den USA hat Jon Kabat-Zinn, ein Professor und Mediziner, diesen Begriff in den späten 70er Jahren popularisiert. An der University of Massachusetts entwickelte er seine Methode unter der Bezeichnung MBSR (Mindfulness-Based Stress Reduction). Der vietnamesische Zen-Meister Thích Nhất Hạnh erreichte mit seinen Büchern über Achtsamkeit und den engagierten Buddhismus Millionen von Lesern.

Um Achtsamkeit einzuüben, soll man beim Essen wirklich den Geschmack, den Geruch und die Textur wahrnehmen. Es gilt den eigenen Atem zu beobachten und bei Spaziergängen auf Geräusche, Farben und Bewegungen zu achten. All dies und vieles mehr hilft, den Stress zu reduzieren, die Konzentration zu fördern und innere Ruhe zu erreichen. Wer achtsam ist, urteilt nicht immer sofort, teilt die Dinge nicht jeweils in «gut» oder «schlecht» ein. Wer achtsam ist, lässt Unangenehmes zu, ohne sofort zu reagieren. Die Meditation ist eine Methode, mit der Achtsamkeit eingeübt werden kann, wie die Meister empfehlen.

Gerade Menschen wie mir, der mit zunehmendem Alter zur Schussligkeit neigt, tut deshalb eine gehörige Portion Achtsamkeit gut. Denn im Alter häufen sich die Situationen, in denen man achtlos Dinge vornimmt, die im Nachhinein Probleme verursachen. Man weiss nicht mehr, wo man das Handy oder den Schlüssel liegen gelassen hat, wen man gestern getroffen hat oder ob man als Mann die WC-Brille auch tatsächlich heruntergekippt hat. Wer seine Handlungen bewusst und achtsam vornimmt, fährt nicht beim unbedeutendsten Vorfall reflexartig aus der Haut.

Um mehr zu Gelassenheit zu erlangen, gibt es auch einfachere Methoden. Eine davon findet sich in Mel Robbins' Buch «The Let Them Theory», das 2024 während Monaten auf der Bestsellerliste der «New York Times» stand. Mit ihren Podcasts erreicht sie zurzeit Woche für Woche unglaubliche 10 Millionen Menschen weltweit. Robbins fordert, dass man begreift, dass man das Verhalten oder die Meinungen von anderen Menschen nicht kontrollieren kann. «Let them» heisst, dass man sich von Erwartungen anderer lösen muss. Wenn man dies schafft, fördert man die emotionale Unabhängigkeit. Auf «Let them» folgt «let me» – also der Aufruf, die Kontrolle über das eigene Leben ganz zurückzugewinnen. Elegant verwoben mit einer Vielzahl von persönlichen Erlebnissen nimmt Robbins einige Ideen aus der Stoizismus-Philosophie und dem Buddhismus auf und verpackt diese in den Slang unserer Zeit. Millionen von Leser und Nutzer ihrer zahlreichen Videos haben diese Tipps dankbar aufgenommen, um ihren Stress zu reduzieren und zu mehr Gelassenheit zu gelangen. Auch ich bemühe mich nun gelassener zu reagieren, wenn ich in unangenehme Situationen gerate. Und dann flüstere ich mir jeweils zu: Let them. All dies verlangt Arbeit. Aber ein Mehr an Altersmilde verschafft uns so viel mehr Wohlbefinden, dass wir uns unbedingt auf diesen Weg begeben sollten.

Früher war alles besser

Es ist uns Boomern zu verdanken, dass sich die Welt weitgehend zu ihrem Vorteil entwickelt hat. Dies wird wohl kaum jemand ernsthaft bestreiten wollen. Trotzdem hört man bei älteren Personen sehr oft den Seufzer aus tiefster Seele, dass früher alles besser gewesen sei. Es scheint sich dabei um einen urmenschlichen Reflex zu handeln, denn schon Sokrates soll die damalige Jugend heftig kritisiert haben. Er wird von Platon wie folgt zitiert: «In einer solchen Demokratie wächst die Jugend in grösster Freiheit auf (...), sie hat weder Scheu vor den Eltern noch Respekt vor den Lehrern. (...) Am Ende verlangt man sogar die Gleichheit zwischen Mann und Frau, Schüler und Lehrer, Mensch und Tier.»

Das klingt geradezu topaktuell! Es könnte die heutige Situation und vor allem das Auftreten der von unserer Generation vielkritisierten Gen-Z beschreiben. Das Fazit von Sokrates: Alles geht heute den Bach runter, während zu meinen Zeiten alles noch im Lot war.

Sokrates' Klage ist beinahe so alt wie die Menschheit. Auch der römische Dichter Ovid stellte im ersten Jahrhundert vor Christus fest:

«Zuerst entstand das goldene Zeitalter, das ohne Richter, von selbst, ohne Gesetz, Treue und Recht pflegte.» Danach beschrieb Ovid die klassische Vier-Zeitalter-Lehre, die ausdrückt, dass es seit dem goldenen Zeitalter immer weiter bergab geht, zuerst zum silbernen, dann zum bronzenen und am Schluss zum eisernen Zeitalter. Cicero entsetzte sich über den Sittenverfall in Rom und drückte es so aus: «O tempora, o mores! O Zeiten, o Sitten!» Im 14. Jahrhundert beklagte sich der italienische Dichter und Humanist Francesco Petrarca in besonders krassen Worten: «Unsere Väter lebten tugendhafter, unser Geschlecht ist entartet.» Solche Zitate gibt es auch aus späteren Zeiten.

Doch können die Boomer von heute mit gutem Gewissen solchen Aussagen zustimmen? Haben wir mehr Unheil als Fortschritt bewirkt? Oder ist es vielmehr die rückschauende, wehmütige Sicht, die ältere Menschen schon seit je hatten, und dies völlig losgelöst von belastbaren Fakten?

Die gute alte Zeit, gab es die wirklich? Noch vor wenigen Jahrzehnten durften Frauen nicht ohne Erlaubnis ihres Ehemanns einen Beruf ausüben. Verdingkinder wurden in grosser Zahl auf schändlichste Weise missbraucht. Die seriellen sexuellen Übergriffe in der katholischen Kirche wurden gezielt vertuscht. In Schulen wurden Kinder körperlich gezüchtigt. Der allgemeine Lebensstandard war viel tiefer als heute, Armut und Not waren auch in unseren Breitengraden weit verbreitet. Leute mit Behinderungen wurden aus der Gesellschaft ausgeschlossen. Dies sind nur einige Beispiele, die zeigen: Unter Einbezug aller Faktoren haben wir es heute besser denn je, auch wenn gewisse Probleme weiterhin bestehen. Die Verbesserung ist uns zu verdanken.

Der nostalgische Blick zurück verklärt vieles. Der amerikanische Autor Peter Benchley – er schrieb unter anderem den Roman «Der weisse Hai» – formulierte es so: «Die Vergangenheit erscheint uns im Rückblick besser als in der Zeit, in der wir in ihr lebten.» Die Erinnerungen an die eigene Jugend sind oft positiv gefärbt. Das Gedächtnis blendet viel Negatives aus, sodass frühere Zeiten «strahlender» wirken. In der Altersforschung spricht man von einem «Rückblick-Bias», wenn man die Vergangenheit idealisiert. Politisch wird diese Sehnsucht nach guten alten Zeiten vor allem von Populisten bewirtschaftet. Trumps Kampfruf «Make America Great Again» bedient ganz offen diese nostalgischen Reflexe. Ebenso die grassierende DDR-Nostalgie im Osten Deutschlands.

Mit zunehmendem Alter fällt es schwerer, sich an wichtige Veränderungen zu gewöhnen. Da sind zum Beispiel die immer zahlreicheren Herausforderungen der digitalen Welt. Ständig werden altvertraute Aktivitäten ausgelöscht und durch angeblich ganz einfache digitale Applikationen ersetzt. Diese Veränderungen bereiten uns vielfach Probleme, während die jüngeren und ganz jungen Generationen sich rasch daran gewöhnen. Für uns ist der permanente Digitalisierungsprozess oft Anlass von Frustration. Verzweifelt versuchen wir Probleme an unseren elektronischen Geräten oder an zu bedienenden Automaten zu lösen und bleiben doch vielfach erfolglos. Die Digitalisierung führt für uns nicht zu einer Vereinfachung, sondern auch zur häufigen Überforderung. Deshalb sollte man sich in diesem Bereich ohne falsche Scham die Hilfe von «digital natives» sichern, die uns aus der Patsche helfen können. Das Eingeständnis, dass man in diesem Bereich nicht auf der laufend veränderten Flughöhe agieren kann, sollte unser Selbstverständnis nicht beschädigen. Es gibt eben natürliche Grenzen, die wir nicht überschreiten können. Trotzdem sollten wir die Vorteile der Digitalisierung – bis hin zur künstlichen Intelligenz – nutzen. Denn wenn wir es nicht tun, koppeln wir uns weitgehend von gesellschaftlichen Veränderungen ab.

Und dann gibt es noch den Kohorten-Effekt. Wir alle sind in einer bestimmten Epoche aufgewachsen, die uns geprägt hat. Musik, Mode und Politik der damaligen Zeit wurden als «normal» empfunden. Spätere Veränderungen, zu denen wir keinen Zugang finden, erscheinen hingegen oft als Verfall. Dies führt zu Protestausrufen, wie etwa: «Das ist nicht mehr mein Land!» Eine sinnvolle und nüchterne Analyse würde jedoch ergeben, dass früher einiges besser und einfacher, aber eben sehr vieles viel schlechter war.

In der achtstufigen Theorie der Lebensphasen des Psychologen Erik Erikson ist die letzte Phase ein Kampf zwischen Integrität und Verzweiflung. Der Blick kann einerseits von Klagen geprägt sein («Früher war alles besser»), oder andererseits von Lebensweisheit, wenn man Erlebnisse akzeptiert und integriert. Ideal ist ein Rückblick ohne Verbitterung, hingegen mit Weisheit, Gelassenheit und Dankbarkeit. Im Hinblick auf die Zukunft ist Zuversicht besser als Resignation, Angst vor dem Tod und Verzweiflung.

Wir Boomer haben die besten Voraussetzungen, um die richtigen Entscheidungen für die nächsten Jahre zu treffen. Aber vielleicht müssen wir uns hie und da am eigenen Rockzipfel packen, um nicht mit dem ausgeleierten Refrain «Früher war alles besser» ins unergiebige Lamentieren zu verfallen. Wir sollten öfter nach vorne schauen und weniger zurückblicken.

Ich bin dann mal weg

Für viele von uns Boomern war es von Anfang an wichtig, alle Entscheide selbst zu treffen. Wir wollten uns nie passiv in Muster einfügen, die uns von den Eltern, in der Schule oder von der Gesellschaft vorgegeben wurden. Nur deshalb konnten wir die epochalen Veränderungen mittragen, die unsere Generation verursacht hat.

Wie aber ist es, wenn wir verspüren, dass wir stark abbauen? Wenn unsere Kräfte schwinden, die körperlichen, die geistigen oder beide zugleich? Nehmen wir dies hin und versuchen, diese unaufhaltsame Entwicklung bestmöglich abzufedern? Oder denken wir an etwas Radikales, weil dies unserer bisherigen Grundhaltung besser entspricht? Wollen wir also selbst über den Zeitpunkt und die Form unseres Abgangs von dieser Welt entscheiden? Damit sind wir beim Thema Selbstmord, den man heute vielfach als begleitetes Sterben verbrämt.

Vor kurzem erlebte ich einen konkreten Fall in meinem erweiterten Umfeld. Erika, wie ich sie nennen möchte, war von frühester Jugend an eine aussergewöhnliche Person. Sie stammte aus einfachen Verhältnissen, aus denen sie sich in einem anspruchsvollen Beruf in internationalen Organisationen bis in Führungsgremium vorarbeitete. Sie heiratete ihre Jugendliebe und wurde Mutter von drei Kindern, denen sie sich mit grosser Liebe und viel Zuneigung widmete. Zudem engagierte sie sich in mehreren sozialen Projekten, wo sie sich den Respekt vieler Menschen erwarb. Alle, die sie kannten, erlebten sie als fröhliche, manchmal sogar etwas überdrehte, kaum zu bremsende Person, die sich überall einbrachte.

Erika hatte auch Schweres zu bewältigen. So pflegte sie jahrelang ihre Mutter, als diese an einer immer grässlicheren Demenz erkrankte. Und ihr Ehemann, mit dem sie kongenial verbunden war, wurde durch einen Hirnschlag so schwer getroffen, dass er seine beiden letzten Lebensjahre in einem Heim verbringen musste. Doch auch nach seinem Tod machte Erika weiter. Sie hielt Vorträge, gab Seminare und nahm ihre Grossmutterrolle intensiv wahr. Gleichzeitig wollte sie ihre mentalen Fähigkeiten fördern und begann, Italienisch zu lernen.

Aber dann entdeckte sie erste Signale, die sie zutiefst verstörten. So stolperte sie über erste Zeichen von Vergesslichkeit, die sie als den Beginn einer Demenz deutete. Und dement, das hatte sie sich geschworen, wollte sie unter keinen Umständen werden. Dieses Schreckgespenst, dessen Auswirkungen sie ja hautnah erlebt hatte, musste unter allen Umständen verscheucht werden. Sie sprach mit Fachleuten und holte sich Informationen, um sich eine endgültige Meinung zu bilden. Und so entschied Erika, sich mit 82 Jahren möglichst bald und bei vollem Bewusstsein aus dem Leben zu verabschieden.

In sechs Monaten werde sie selbst ihren Tod herbeiführen, verkündete sie ihrer entsetzten Tochter, die in der Folge zusammen mit der ganzen Kernfamilie und mit allen denkbaren Argumenten versuchte, sie von diesem Entscheid abzubringen. Du hast doch uns, deine Enkel und so vieles mehr, beschworen sie Erika. Doch diese wankte nicht.

Die letzten Tage plante sie detailliert. Zuerst lud sie alle zu einem grossen Familienfest ein, deckte einen festlichen Tisch und kochte für die 21 eingeladenen Personen. Am nächsten Tag, die Sonne schien wunderbar am Himmel, ging sie ins Schwimmbad. Anschliessend besuchte sie ihre letzte Italienischstunde, in der sie unbedingt einige zusätzliche Vokabeln lernen wollte. Am folgenden Tag nahm sie sich, wie geplant, ihr Leben und hinterliess nicht nur eine völlig verstörte Familie, sondern auch eine grosse, schockierte Gemeinschaft von Freunden, mit denen sie so viele Jahre verbracht hatte.

Erika ist beileibe kein Einzelfall. Alles deutet darauf hin, dass eine immer grössere Zahl von selbstbewussten Boomern denselben radikalen Schritt wählen werden, um dem absehbaren, unaufhaltsamen Abgleiten in einen Zustand zu entgehen, bei dem sie die Herrschaft über ihren Körper, ihren Geist und ihren Willen immer weiter verlieren. Viele werden sich nicht bis zu den allerletzten lebensverlängernden Massnahmen ans Leben festklammern wollen, und es ist leider so, dass diese Massnahmen jeweils unter kaum menschenwürdigen Bedingungen stattfinden.

Für diese Feststellung gibt es belastbare Daten. In der Schweiz, wo diese Form des Sterbens weltweit die längste Tradition aufweist, ist das begleitete Sterben (der assistierte Suizid) aufgrund rechtlicher Regelungen einfacher als etwa in Deutschland. Die Sterbehilfe-Organisation Exit hat 2022 gemäss eigenen Angaben 1125 Menschen in den Tod begleitet, dies entspricht einem Anstieg von 15 Prozent gegenüber dem Vorjahr, und im Folgejahr setzte sich der Anstieg in ähnlicher

Höhe weiter fort. Es liegen Informationen vor, wonach in der Schweiz 1700 Personen pro Jahr begleitet aus dem Leben scheiden, hinzu kommen 500 Personen, die aus dem Ausland in die Schweiz reisen, um die dortigen Möglichkeiten der Sterbehilfe zu nutzen. In Deutschland gibt es jährlich 9500 Suizide, 75 Prozent von ihnen betreffen Männer. Bei ihnen scheint der Leidensdruck klar höher als bei Frauen zu sein. In der Schweiz betrug der Anteil der assistierten Todesfälle im Jahr 2002 nur 0,2 Prozent. Seither hat er sich verzehnfacht und beträgt nun 2,1 Prozent. Noch höher ist diese Grösse allein in Kanada mit 4,1 Prozent und in den Niederlanden mit sogar 5,4 Prozent. Wissenschaftliche Prognosen gehen davon aus, dass in der Schweiz in 10 bis 15 Jahren ebenfalls 5 Prozent der Todesfälle durch assistierten Suizid erfolgen werden.

Die Suizidhilfe ist in der Mehrheit der Fälle ein Altersphänomen. Das Durchschnittsalter der Personen, die von Suizidhilfe Gebrauch machten, lag im Jahr 2022 bei 81 Jahren. Die steigende Lebenserwartung mag denn auch ein Grund sein für die zunehmende Häufigkeit von Sterbebegleitungen. Es gibt aber auch weitere Gründe: «Religiöse und traditionelle gesellschaftliche Normen spielen eine immer geringere Rolle. Stattdessen werden die Freiheit der Lebensplanung sowie die persönliche Autonomie zu entscheidenden Lebensprinzipien (…). So ist es folgerichtig, dass diejenigen, die ihr Leben gestaltet haben, auch ihr Sterben als Ende des Lebens gestalten wollen und dementsprechend Sterbehilfe als eine ihnen angemessene Option ansehen», erklären in einem wissenschaftlichen Papier die drei Autoren Uwe Güth, Andres R. Schneeberger und Edouard Battegay. Assistierter Selbstmord wird in Zukunft kein tabuisiertes Randphänomen mehr sein, sondern ein gesellschaftlich weitgehend akzeptiertes Verhalten. Und dies ist noch nicht alles. Ältere Menschen können den Freitod als «utilitaristisch und altruistische Wohltat für die Gemeinschaft betrachten», die bis zu einer Verpflichtung zum Tod mutieren kann, schreiben die Fachautoren. Die demografische Entwicklung einer schnell alternden Gesellschaft wird diesen Druck noch verstärken.

Für uns weiterhin aktive und weitgehend gesunde Boomer werden sich diese grundsätzlichen Fragen erst später stellen. Aber irgendwann werden auch wir uns damit befassen müssen. Mit Sicherheit wird die Thematik eine laufend grössere

Beachtung finden und den öffentlichen Diskurs erfassen. Wir alle wissen nicht, wie sich unser eigenes Leben entwickeln wird. Wenn wir unsere geistigen oder körperlichen Fähigkeiten weitgehend verlieren, endet unsere gesunde Lebenszeit und wir werden zum Pflegefall. Es gilt, unsere eigene Situation und unsere Optionen abzuwägen. Hoffentlich gelingt es uns, die für uns richtigen Entscheidungen zu treffen. Gabriella und ich sind beide seit vielen Jahren Mitglied bei Exit.

Ich habe erlebt, wie schwierig, ja unmöglich es für Erikas Familie war, ihren Suizid nachzuvollziehen. Neben Trauer kam bald auch Wut auf, weil sich die Familie als Opfer eines für sie unverständlichen und selbstsüchtigen Entscheids empfand, bei dem ihre Bedürfnisse und Wünsche brutal zur Seite geschoben wurden. Die Angehörigen von Erika müssen mit einer Situation klarkommen, die sie sich niemals vorstellen konnten. Die fröhliche Erika ist nun für immer weg und hat sie verlassen, weil sie eben am Schluss vor allem an sich dachte. Das begleitete Sterben ist eine äusserst komplexe Thematik, die in ihrer Vielschichtigkeit rational kaum zu erfassen ist.

Und nun?

In weiten Teilen der Welt waren wir während 75 Jahren die glücklichste Generation der ganzen Menschheitsgeschichte, und wer in der Schweiz wohnte, lebte zusätzlich wohl im besten Land überhaupt. Unsere Bedingungen, die vorherigen Generationen verwehrt geblieben waren, waren grossartig. Kein Krieg, keine Hungersnot und keine verheerende Hyperinflation – nichts zerstörte unsere Chancen auf ein gutes, friedvolles Leben. Der Wohlstand in unseren Ländern wuchs über Jahrzehnte und erreichte immer weitere Bevölkerungskreise. Die beruflichen Aussichten in neuen Branchen boten uns Möglichkeiten, unsere Träume zu verwirklichen. Wir lernten viel über die positive Wirkung von richtiger Ernährung und sportlichen Aktivitäten. Zudem profitierten wir sowohl von einer immer besseren Gesundheitsversorgung als auch von einem kontinuierlich besser ausgebauten Sozialsystem, sodass sich unsere Lebenserwartung in immer neue Höhen schraubte.

Auch auf politischer Ebene ereignetes sich weitgehend Positives. Nach dem blitzschnellen und unblutigen Zusammenbruch des Kommunismus in Osteuropa schien tatsächlich das «Ende der Geschichte» angebrochen zu sein, wie der Politikwissenschaftler Francis Fukuyama 1989 in einem vieldiskutierten Buch versprach. Die liberale Demokratie sei die «Endform» der politischen Entwicklung, zu der es keine grundlegende ideologische Alternative gäbe, erklärte er. Sogar die ehemalige Sowjetunion öffnete sich für Marktwirtschaft und demokratische Strukturen – eine Entwicklung, die wir mit der Strategie «Wandel durch Handel» tatkräftig unterstützten, weil dies auch zu unserem Nutzen war. Alles, was vorher gut war, wurde noch besser, und niemand von uns glaubte ernsthaft daran, dass sich dies in unserer Lebenszeit grundlegend ändern würde. Grossflächige Kriege waren für uns ein Relikt einer immer ferneren Vergangenheit, die uns niemals einholen würde. Davon waren wir überzeugt. Deshalb fuhren wir unsere Armeen herunter, bis sie zu Skeletten ausgehungert waren. Und so genossen wir diese fantastische Friedensrente, indem wir die eingesparten Gelder zum weiteren Ausbau unseres Sozialstaates einsetzten. Mit einem Wort: Wir waren unglaublich privilegiert!

Doch dann geschahen Dinge, die uns wie Donnerschläge trafen, und zwar in ganz kurzer

Sequenz: Im Jahr 2020 traf uns die Pandemie völlig unvorbereitet und zwang uns zu Massnahmen, die die Gesellschaft tief spalteten. Plötzlich hatten die bisher unbedeutenden Verschwörungstheoretiker ein Thema, mit dem sie in breiten Kreisen Gehör fanden. Dann überfiel Russland am 24. Februar 2022 die Ukraine und zerstörte unwiderruflich die europäische Friedensordnung, die seit 1945 die Basis unseres Zusammenlebens gebildet hatte. Und der Gaza-Krieg führte nach dem furchtbaren Massaker am 7. Oktober 2023 in vielen Ländern zu weiteren Verwerfungen. Alles noch viel schlimmer machte die Wiederwahl des Capitol-Stürmers und Demokratie-Zertrümmerers Donald Trump.

Und damit war plötzlich alles anders, was viele von uns zutiefst erschütterte. Der Schweizer Autor Charles Lewinsky, geboren 1946, drückte es in einem NZZ-Interview so aus: «Ich übertreibe jetzt. Aber der Gedanke blitzt immer wieder auf: dass man etwas früher hätte sterben müssen. Dann hätte man es perfekt gehabt. Jetzt muss ich im Alter den Scheissdreck wieder miterleben.» Sein bisheriges Selbstverständnis war mit einem Schlag weggeblasen, und dabei bezog er sich nicht nur auf das Aufflammen eines virulenten Antisemitismus.

Viele von uns nahmen nur zögerlich und widerwillig wahr, dass Leitlinien, die uns während unseres ganzen bisherigen Lebens begleitet hatten, ihre Gültigkeit verloren hatten. Nun war vieles ins Rutschen geraten, das wir für unverrückbar gehalten hatten. Waren wir wirklich ganz lange naiv gewesen, hatten wir uns einlullen lassen? Erst zu spät realisierten wir, dass ein ehemaliger KGB-Agent Herr über die grösste Landmasse dieser Erde geworden war und dass dieser Mann nun sein Volk von vergangener Grösse träumen liess. Einer, der glaubte, sich holen zu können, was ihm in seiner Sicht der Geschichte zustand, und dies mit äusserster Brutalität und ohne jegliche Rücksicht auf eigene oder gegnerische Opfer. Erst allmählich begriffen wir: Je mehr Erfolg er damit haben würde, desto grösser würde sein Appetit werden. Und dies würde nicht nur die Entwicklung im gar nicht so fernen Osteuropa betreffen, sondern potenziell auch die unsrige.

Die Zertrümmerung unseres tradierten Wertesystems verlangt von uns eine enorme intellektuelle Leistung. Wir müssen uns von lebenslangen Denkmustern lösen, und das ist extrem schmerzhaft. Wir sind enttäuscht, zutiefst enttäuscht, dass es nicht so geblieben ist, wie es für uns immer gewesen ist. Deshalb ist es leider wenig überraschend, dass es in unserer Gesellschaft zu überraschenden Verwerfungen kommt. Da sind einerseits die Realisten, die ein schnelles Umdenken und eine möglichst schnelle und seriöse Vorbereitung auf den Ernstfall fordern. Aber dann gibt es vor allem im rechten Lager die Putin-Versteher, die für eine Appeasement-Politik plädieren, weil sie glauben, damit das Allerschlimmste abwenden zu können. Und zudem bewundern sie insgeheim, gleich wie Trump, den starken Mann im Kreml, der sich alles nimmt, was er sich nehmen kann.

Vor diesem Hintergrund müssen wir uns alle in unserem fortgeschrittenen Alter neu ausrichten. Plötzlich ist unsicher geworden, was bisher nicht in Frage gestellt wurde. Damit ist auch das, was wir uns mit harter Arbeit und einigem Glück erworben haben – ein Haus, ein Bankkonto, eine gute Versorgung – erstmals ernsthaft gefährdet. Denn niemand weiss, wie unsere Welt in fünf oder zehn Jahren aussehen wird.

Wer in jungen Jahren in Extremsituationen geworfen wird, hat den Glauben, dass er diese mit eigener Kraft und viel Durchhaltevermögen irgendwie überstehen kann. Für unsere Generation gibt es diese Perspektive nicht mehr. Wir haben nicht die Chance, Verlorenes durch neue Aktivitäten zurückzuholen. Dazu würde uns sowohl die Zeit als auch die Kraft fehlen. Und deshalb verunsichert die Zuspitzung der weltpolitischen Lage viele Menschen unserer Generation in besonderem Mass.

Ich habe es oft erlebt, dass auch wohlsituierte und finanziell gut abgesicherte ältere Menschen zunehmend von der Angst umgetrieben sind, dass sie alles verlieren könnten. Sie wurden zum Teil ängstlich und geizig, mit sich und mit anderen. Da nun die Weltlage neues Ungemach verursacht, wird sich dieser Effekt noch verstärken.

Wie kann man das vermeiden? Ein Patentrezept gibt es nicht. Es ist jedoch äusserst wichtig, dass man nicht durch jede Sensationsmeldung in Panik gerät. Man sollte sich den effektheischenden Medien nicht unnötig ausliefern. Vor allem sollte man sich nicht von Fake News und Verschwörungstheorien einfangen lassen, die vor allem in den sozialen Medien hemmungslos ihr Unwesen treiben. Wer sich auf seriöse Informationen abstützt, der weiss, dass die schlimmsten Horrorszenarien meist nicht eintreffen. Anders als vor den beiden Weltkriegen, sind wir heute viel besser organisiert und stürzen uns nicht kopflos in jede katastrophale Falle, die uns gestellt wird. Und wir sollten grosszügig gegenüber den Jüngeren bleiben, auch wenn wir ein immer stärkeres Übergewicht bei entscheidenden Fragen bekommen. Wir dürfen nicht allein unsere Partikularinteressen vertreten, sondern müssen die Gesellschaft als Ganzes im Auge behalten. Bereits Mitte der 2030er Jahre wird das Durchschnittsalter der Abstimmenden deutlich über 60 Jahren liegen. Dies führt bereits jetzt zu absurden Ideen. «Das Wahlrecht ab einem gewissen Alter zu streichen, würde die Dominanz der Senioren brechen», erklärt etwa die Politologin Rahel Freiburghaus. Eine weitere altersmässige Polarisierung muss verhindert werden, und dazu müssen wir einen wichtigen Beitrag leisten. Aber auch – und vor allem – die Jungen. So zeigen langjährige Umfragen in acht Gemeinden im Kanton St. Gallen, dass die durchschnittliche Stimmbeteiligung der 18- bis 24-Jährigen bei 29,5 Prozent liegt, bei den 65- bis 74-Jährigen ist sie mit 63,2 Prozent hingegen mehr als doppelt so hoch. Das Problem sind also nicht in erster Linie wir.

Doch das schmerzvolle Erkennen, dass es für uns nie mehr so sein wird, wie es während dieser wundervollen 75 Jahre war, sollten wir nicht verdrängen. Es gibt keinen Grund zur Verzweiflung, aber Anlass zur ernsthaften Analyse. Fast ein ganzes Leben lang hatten wir immer wieder das ganz grosse Los gezogen, was uns vielleicht erst heute so richtig bewusst wird. Wir glaubten, dass man die furchtbaren Lehren aus der Vergangenheit gründlich gelernt hatte und dass uns dieses Wissen vor künftigem Unheil schützen würde. Erst jetzt, wo so vieles anders ist, erkennen wir, dass wir bisher in aussergewöhnlichen Zeiten gelebt haben. Dafür müssen wir dankbar sein. Und deshalb sollten wir auch die kommende Wegstrecke weder wehleidig noch mit Bitterkeit abschreiten, auch wenn der wunderbare Zauber unserer grossartigen Vergangenheit wohl endgültig verschwunden ist. Der Geist unserer Jugend, der uns so lange zu unserem Vorteil begleitet hat, soll uns auch in diesen späten Jahren und unter den neuen Bedingungen nicht verloren gehen. Wir begeben uns als ganze Generation auf eine «terra incognita», ein unbekanntes, unerforschtes Gebiet, das wir ebenso erobern sollten, wie wir es bisher mit allen Herausforderungen gehalten haben.

Finale

Wir alle sind in den Bonus-Jahren angekommen oder werden sie bald erreichen. Das Ziel ist vorgegeben, doch das, was wir unterwegs erleben werden, ist noch nicht einmal in Konturen erkennbar. Keine Generation vor uns hat erfahren, was wir in Zukunft erleben dürfen. Wir sind Entdecker in einer neuen Welt, die voller Überraschungen sein wird. Unsere grosse Reise müssen wir bestmöglich planen, denn es wäre wirklich läppisch, unsere hervorragende Ausgangslage zu vermasseln. Ich habe in diesem Buch aufgrund vieler aktueller Forschungsdaten und vieler Erfahrungen dargestellt, was für uns wichtig ist, auch wenn es in der Gesamtheit hie und da widersprüchlich klingen mag.

So sollen wir lernen, Dinge loszulassen, gleichzeitig aber müssen wir uns diszipliniert verhalten. Wir sollten unsere Muskeln einem Krafttraining unterziehen, aber auch Achtsamkeit üben. Wir müssen den Optimismus und die gute Laune pflegen, jedoch externe Gefahren richtig einschätzen, die uns besonders seit kurzer Zeit bedrohen. Wir sollten Übergewicht vermeiden, aber noch viel mehr das gefährlichere Untergewicht. Wir sollten häufig soziale Kontakte pflegen, gerade auch mit jüngeren Menschen, uns aber umgekehrt nicht in eine heillose Hektik stürzen. Wir sollten altersmild werden, aber weiterhin unsere ureigensten persönlichen Interessen kraftvoll vertreten, und dies, ohne zu verhärten. Wir sollten auf unsere Schrittlänge achten, aber auch auf die unerlässlichen sieben bis acht Stunden Schlaf pro Nacht. Kaffee am Vormittag ist zu empfehlen, Alkohol sollte man hingegen weitestgehend meiden. Und noch viel mehr steht auf unserer To-do-Liste, die in diesem Buch präsentiert wurde. Etwa, dass man gesundheitliche Probleme möglichst früh erkennen und sich nicht aus Angst vor negativen ärztlichen Befunden allzu lange vor notwendigen Informationen wegducken soll. Umgekehrt darf man sich in späteren Jahren nicht zum angsterfüllten Hypochonder entwickeln. Wir sollen ehrgeizig bleiben, aber nicht um andere zu beeindrucken, sondern um vor allem uns etwas Gutes zu tun – und im optimalen Fall auch anderen. Und wir müssen immer wieder versuchen, neue Türen zu öffnen, wenn sich andere geschlossen haben.

Natürlich werden wir dies nicht alles immer perfekt hinkriegen. Das schafft niemand. Davon sollte man sich nicht entmutigen lassen. Wir sollten jedoch laufend überprüfen, ob wir uns in Bezug auf ein möglichst langes gesundes Leben richtig verhalten. Und wenn wir hie und da von den eigenen Vorgaben wegdriften, sollten wir dies bewusst zur Kenntnis nehmen und dies nicht leichthin verdrängen, weil es für jeden unangenehm ist, sich mit der eigenen Unzulänglichkeit auseinander zu setzen. Aber aufgeben ist keine Option. Niemals. «It ain't over till it's over»!

Diese Sicht ist seit einigen Jahren zu meiner Grundüberzeugung geworden. Ich habe sie neben meinen lebenslangen Motivationsschub gestellt, nämlich den Text eines Songs meines jamaikanischen Freundes Jimmy Cliff, der mich durch Höhen und vor allem Tiefen meines Lebens geführt hat. Er lautet: «You can get it if you really want, but you have to try, try and try – and you'll succeed at last.» Natürlich weiss ich, dass nicht alles, was man sich im Leben wünscht, gelingen wird. Trotzdem muss man sein Bestmögliches geben, um es zu erreichen. Denn nur so ist eine immer mögliche Enttäuschung gut zu verkraften.

Gleichzeitig dürfen wir nie unsere privilegierte Ausgangslage aus den Augen verlieren, die uns bisher so vieles ermöglicht hat. Dies beinhaltet auch die Verpflichtung, den uns nachfolgenden Generationen weiterhin beizustehen, damit wir beide, sie und wir, die aktuellen und künftigen komplexen Herausforderungen bewältigen. Wir sollten uns also weiterhin in den öffentlichen Diskurs aktiv einbringen, und dies beileibe nicht nur bei Themen, die uns direkt betreffen. Unser Blick sollte weit darüber hinausreichen. Mit unseren Stimmen und unserem Engagement müssen wir dafür sorgen, dass für unsere Gesellschaften auch längerfristig optimale Lösungen gefunden werden. Wenn wir dies tun, haben wir vielleicht unsere vornehmste Aufgabe erfüllt.